lezen

op locatie

PROMETHEUS

Pieter Steinz

lezen
op locatie

ATLAS VAN DE WERELDLITERATUUR

60 kaarten · 90 landen · 1200 titels · 45 talen

2004 Prometheus · NRC Handelsblad

Amsterdam / Rotterdam

Voor Claartje natuurlijk,
en voor Jan en Jet die
een leven van lezen en reizen
voor zich hebben

De uitgever heeft getracht alle rechthebbenden
te achterhalen. Aan hen die desondanks menen
aanspraak te kunnen maken op enig recht, wordt
verzocht contact op te nemen met Uitgeverij
Prometheus, Postbus 1662, 1000 BR Amsterdam.

© 2004 Pieter Steinz
Boekverzorging Suzan Beijer
Foto auteur Carla Schoo
www.uitgeverijprometheus.nl
www.nrc.nl
ISBN 90 446 0472 4

Inhoud

Voorwoord

'Het doet er eigenlijk niet zoveel toe waar je schrijft,' noteerde wijlen Karel van het Reve in 'Schrijven in Amsterdam', een essay in het prestigieuze cadeauboek *Het land der letteren* (Meulenhoff, 1982). Waarna hij voorbeelden gaf van auteurs die hun 'typisch Nederlandse' of 'typische Russische' meesterwerken juist in het buitenland hadden geschreven. 'Het oeuvre van Leo Vroman is geschreven in Amerika. De *Havelaar* speelt in Amsterdam en op Java en is geschreven in Brussel. [...] Het beroemde gedicht "Denkend aan Holland zie ik brede rivieren" is, zoals die eerste regel al aangeeft, in het buitenland geschreven. Er zijn misschien folkloristische schrijvers die om over dampende paarden en dampende akkers te kunnen schrijven die paarden en akkers om zich heen moeten hebben. Maar ik geloof dat je voor het schrijven van een goede kasteelroman geen kasteel nodig hebt. De grote zeeboeken zijn allemaal aan land geschreven.'

Het mag er dan niet toe doen waar je schrijft – waar je leest is een ander verhaal. Literatuur heeft nu eenmaal een extra dimensie wanneer ze genoten wordt 'op locatie'. Shakespeares *Hamlet* is indrukwekkender voor iemand die breviert op de transen van de Kronborg ('Elsinore') in Helsingør, Denemarken; het werk van Giorgio Bassani spreekt het meest tot de verbeelding in zijn thuisstad Ferrara; en *Der Zauberberg* van Thomas Mann komt het best tot zijn recht in de tot lezen stemmende rust van een sanatorium (of ten minste een pension) in Davos. Geen wonder dat veel toeristen op reis gaan met in hun koffer boeken van schrijvers die op de een of andere manier verbonden zijn met het land van aankomst.

Maar hoe vind je die boeken? Op internet heb je een handvol sites ('Boekgrrls', 'Reisboek', 'Stanley & Livingstone reisboekhandel', 'dbnl: de Digitale Bibliotheek der Nederlandse Letteren') die de lezer ideeën voor lezen op locatie aan de hand doen, soms zelfs met behulp van kaarten waarop je plaatsen, landen en werelddelen kunt aanklikken. Erg uitgewerkt en consequent is die informatie niet: romans en reisverslagen staan door elkaar, soms komen alleen Nederlandse boeken aan bod of titels die in de boekhandel leverbaar zijn, en maar al te vaak wordt voor een bepaalde bestemming een boek aangeraden dat zich daar helemaal niet afspeelt, kennelijk omdat de auteur ervandaan komt of gewoond heeft. Zo kan het zijn dat je bij Triëst (de Italiaanse stad waarheen James Joyce in 1905 emigreerde) *Dubliners* krijgt aangeraden, of bij Nantes (de geboortestad van Jules Verne) de *Reis om de wereld in tachtig dagen*.

Reisgidsen dan? Zelfs degene die een handig overzicht geven van de literatuurgeschiedenis van de behandelde streek of stad zijn zuinig met hun literaire suggesties. Het bruikbaarst zijn de door Penguin uitgegeven 'Rough Guides', die standaard in een apart hoofdstuk ('Contexts') een rubriekje aan toepasselijke fictie wijden. Maar ook de Rough Guides vinden het belangrijker dat een auteur verbonden is met de plaats die ze behandelen dan dat een boek zich daar afspeelt. In de gids voor Schotland vind je dus J.M. Barries *Peter Pan*, dat zich in Londen en 'Neverland' afspeelt, en in die voor Griekenland Homeros' *Ilias*, waarin de strijd om Troje (in Klein-Azië) bezongen wordt.

Er is dus geen leidraad voor reizigers die – al dan niet in de leunstoel – de sfeer willen proeven van hun vakantie-, emigratie- of zakenbestemming. Met *Lezen op locatie* heb ik in die lacune willen voorzien. Op zestig kaarten, van steden, streken, landen en werelddelen, heb ik zo veel mogelijk romans, verhalen, gedichten en toneelstukken verzameld die zich perfect in situ laten lezen. Wanneer er te veel aanbod was (bijvoorbeeld in de gevallen Zuid-Engeland, Rusland en Australië) heb ik de voorkeur gegeven aan klassieke en terecht veel gelezen werken; bovendien heb ik ernaar gestreefd de suggesties zo goed mogelijk over de kaarten te verdelen: liever én een boek over Bath én een boek over Salisbury én een boek over Winchester dan drie klassieken over Bath (die ongetwijfeld wel te vinden zijn). Veelbeschreven hoofdsteden als Lissabon, Wenen en Praag worden op de landkaarten speciaal uitgelicht; steden met een uitzonderlijk hoog literair profiel, zoals Londen, Parijs en New York, hebben een aparte kaart gekregen. Ieder kaartblad wordt voorafgegaan door een tekst waarin de literaire cultuur van het behandelde land of gebied wordt gekarakteriseerd. Vanzelfsprekend heb ik daarbij de zevenmijlslaarzen niet thuisgelaten.

Lezen op locatie heeft als ondertitel 'Atlas van de wereldliteratuur'. De opzet van het boek doet denken aan de Britse *Atlas of Literature* die in 2001 onder redactie van Malcolm Bradbury verscheen. Maar er zijn een paar belangrijke verschillen. Bradbury laat zijn specialisten maar een deel van de wereld bestrijken; hij concentreert zich op de biografie van de schrijvers (en dus op geboorte- en verblijfplaatsen); en hij kiest ervoor verschillende hoofdstukken aan één land of stad te wijden. Zo wordt Londen beschreven in de tijd van Shakespeare, Pope, Dickens, Wilde, de Bloomsbury Group, de Angry Young Men en de multiculturele schrijvers van de jaren negentig. In *Lezen op locatie* staan titels uit alle tijden naast elkaar; het is de geografie die allesbepalend is, en niet de chronologie. Het zal de literaire reiziger naar de Golf van Napels in principe niet uitmaken of hij de *Satyricon*, geschreven door Petronius in de eerste eeuw na Christus, leest, of de recent verschenen thriller *Pompeii* van Robert Harris.

Net als mijn vorige boek *Lezen &cetera* (Prometheus, 2003) beperkt *Lezen op locatie* zich tot fictie. Reisverslagen en puur autobiografische geschriften zijn niet op de kaarten terechtgekomen. Wel heb ik er dit keer voor gekozen om ook toneelstukken en gedichten op te nemen. Want wat is een reis naar de Caraïben zonder *Omeros* van Derek Walcott? Om maar niet te spreken van een verblijf in New Orleans zonder Tennessee Williams' *A Streetcar Named Desire*. Overigens heb ik omwille van de variatie besloten om per kaart niet meer dan één boek per auteur op te nemen. Anders was *Ulysses* natuurlijk niet het enige boek van James Joyce bij Dublin geweest, en zou de kaart van het Diepe Zuiden van de vs gedomineerd worden door het verzameld werk van William Faulkner.

Lezen op locatie komt voort uit de serie *Steinz' Literaire Atlas*, die in 2003 wekelijks in de zaterdagbijlage van NRC *Handelsblad* stond. Er is weinig hetzelfde gebleven: het aantal kaarten is sterk uitgebreid, er zijn – ook op basis van lezersreacties – meer dan honderd nieuwe vermeldingen bij gekomen, de begeleidende teksten zijn herschreven, en de kaarten zijn opnieuw getekend. De oorspronkelijke verwijzingen – pijltjes die van de titelbeschrijvingen naar de locaties op de kaart gingen – zijn vervangen door een systeem met corresponderende symbooltjes; symbooltjes die geen inhoudelijke betekenis hebben. Het hartje dat bijvoorbeeld op de eerste kaart ('Nederland in de buitenlandse fictie') ter hoogte van Schiphol te vinden is, suggereert niet dat daar een liefdesgeschiedenis is gesitueerd, maar verwijst naar het tekstblokje dat wordt voorafgegaan door een ander hartje – in dit geval de op Schiphol gesitueerde roman *Cannibals and Missionaries* van Mary McCarthy.

Twee vormgeefsters verdienen de hoogste lof voor het bedenken en invullen van de kaarten in *Lezen op locatie*: Jeannette van Bommel, die de kaarten in eerste instantie voor de krant maakte, en Suzan Beijer, die ze aanpaste en inbedde in het boek dat de *Literaire Atlas* uiteindelijk geworden is. Dat boek zou er trouwens ook niet gekomen zijn zonder Paul Steenhuis, die het oorspronkelijke materiaal in de bijlage *Leven &cetera* verwelkomde, zonder Huguette Hornstra en alle medewerkers van de bureauredactie van Prometheus, en zonder Claartje Steinz, die de teksten kritisch las, becommentarieerde en in alle opzichten beter maakte. Alle fouten en omissies zijn niettemin voor mijn rekening. Voor correcties en aanvullingen ben ik bereikbaar op steinz@nrc.nl, onder vermelding van 'Lezen op locatie'.

Pieter Steinz
oktober 2004

Hollands glorie in andermans ogen

**Seks, drugs en de Gouden Eeuw – dat zijn de belangrijkste onder-
werpen als buitenlanders over Nederland schrijven. Waar zou
Holland literair zijn zonder de oude meesters en het gedoogbeleid?**

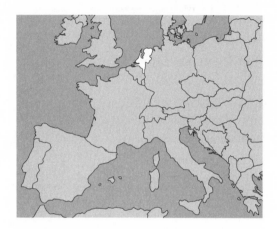

'*Canaux, canards, canaille*' luidde het commentaar van de filosoof Voltaire op achttiende-eeuws Nederland. Zijn collega Diderot was niet veel vleiender in zijn *Voyage en Hollande* (1780-1782), en het hoeft dan ook niet te verwonderen dat het saaie land van kanalen, eenden en gespuis voor buitenlandse literatoren uit de achttiende en negentiende eeuw niet populair was als decor voor romans en verhalen. Als we voorbijgaan aan de kosmopolitische Casanova, die nog vóór Voltaire een paar avontuurtjes beleefde in Amsterdam en Den Haag, dan waren er maar twee buitenlanders die fictie in Holland situeerden. Allereerst de Fransman Alexandre Dumas, die in *La tulipe noire* het rampjaar 1672 ('de regering radeloos, het volk redeloos, het land reddeloos') belichtte; en vijftien jaar later de Amerikaanse Mary Mapes Dodge, die haar landgenoten ten tijde van de Burgeroorlog in *Hans Brinker or The Silver Skates* (1865) een romantisch Waterland voorschotelde waar kwajongens in de winter schaatsen en in het voorjaar hun vinger in de dijk steken. Broek in Waterland was ook de favoriete locatie van de Italiaanse schrijver Edmondo de Amicis, die in 1874 het enthousiaste reisverslag *Nederland en zijn bewoners* publiceerde.

Dat Nederland in de *twintigste* eeuw wél de buitenlandse literatuur haalde, komt allereerst door ons imago van een libertijnse staat waar alles, van prostitutie tot euthanasie, gedoogd wordt. In het voetspoor van Albert Camus, die in *La chute* zijn aan lager wal geraakte hoofdpersoon op de Amsterdamse Zeedijk laat oreren, schetsten vooral schrijvers uit het Engelse taalgebied de Randstad als een Sodom en Gomorra. Ian McEwan (*Amsterdam*) is de beroemdste, maar ook Martyn Bedford (*The Houdini Girl*, over een goochelaar die de zelfmoord van zijn vriendin onderzoekt) en Rupert Thomson (*The Book of Revelation*, over een danser die ontvoerd wordt door drie geile vrouwen) konden de verleiding niet weerstaan.

En dan was er de Gouden Eeuw – sinds een jaar of twintig weer een bron van inspiratie voor buitenlandse historische romanciers, die vooral in schilders en tulpen geïnteresseerd zijn. Het beroemdste voorbeeld, al was het alleen maar door de verfilming in 2004, is Tracy Chevaliers romantische visie op Johannes Vermeer. En het beginpunt van deze rage is niet moeilijk aan te wijzen: Simon Schama's cultuurgeschiedenis van de zeventiende eeuw *The Embarrassment of Riches* (1988). Een 'historische grabbelton' is het boek door criticasters genoemd, maar literatuurliefhebbers moeten Schama dankbaar zijn. Door hem is Holland ook in het buitenland op de kaart gezet.

AMSTERDAM-CENTRUM

John Irving *A Widow for One Year* (1998); schrijfster is getuige van een moord in een Amsterdamse peeskamer

Albert Camus *La chute* (1956); in een bar op de Zeedijk biecht een advocaat zijn hypocriete leven

Georges Simenon *Un crime en Hollande* (1931); Maigret zoekt een moordenaar in kringen van de Omo-witte Groningse burgerij

Michael Pye *The Drowning Room* (1996); Nieuw-Amsterdamse (New Yorkse) hoerenmadam herinnert zich haar jeugd in de regenten-huizen van de Gouden Eeuw

★ Ian McEwan *Amsterdam* (1999); roman over vriendschap eindigt in amoreel Amsterdam

■ Yaakov Shabtai *Slotaccoord* (1984); een door de dood opgejaagde Israëli begint zijn vakantie in somber Amsterdam

Peter Dempf *Das Geheimnis des Hieronymus Bosch* (1999); intriges rondom Jeroen Bosch in 1510 en zijn 'Tuin der lusten' 500 jaar later

◱ Giacomo Casanova *Histoire de ma vie* (1758-1759); op zoek naar geld verleidt de sexy Italiaan een regentendochter

◆ Mary Mapes Dodge *Hans Brinker or The Silver Skates* (1865); romantisch Waterland door een 19de-eeuwse Amerikaanse bril

Michael Kernan *The Diaries of Frans Hals* (1996); modern misdaadverhaal doorspekt met 'dagboeken' van de stokoude schilder

⥮ Moses Isegawa *Abyssinian Chronicles* (1998); rouw-douw baant zich een weg van Idi Amins Oeganda naar de Bijlmer van de jaren 90

♣ Wolfgang Koeppen *Die Jawang-Gesellschaft* (2001, postuum); onvoltooide roman over een ontheemde Haagse jonkheer, vóór de Tweede Wereldoorlog

♥ Mary McCarthy *Cannibals and Missionaries* (1980); terroristen kapen een vlieg-tuig vol Amerikaanse kunst-handelaars en politici

◑ Alexandre Dumas-père *La tulipe noire* (1850); politiek, tulpenhandel en andere avonturen in het rampjaar 1672

✗ Tracy Chevalier *Girl with a Pearl Earring* (2000); jonge huishoudster wordt muze en geliefde van Vermeer

◘ Edgar Allan Poe 'The Unparallelled Adventure of One Hans Pfaall' (1835); Rotterdammer ontdoet zich van schuldei-sers en vaart met ballon naar de maan

✖ Arturo Pérez-Reverte *De zon van Breda* (1998); een Spaanse schildknaap beleeft de vuile oorlog rondom het beleg van Breda tijdens de Nederlandse Opstand

Richard Powers *Three Farmers on their Way to a Dance* (1985); de Tweede Wereld-oorlog speelt een belangrijke rol in het verhaal van moderne Ameri-kanen met een Nederlands-Duits verleden

DELFZIJL ❖

◆ BROEK IN WATERLAND

HAARLEM ⬡
AMSTERDAM
⬆ AMSTERDAM-BIJLMERMEER

SCHIPHOL ♥

VECHT

SCHEVENINGEN ♣
◑ ◱ DEN HAAG
✗ DELFT
◘ ROTTERDAM

❄ DEN BOSCH

✖ BREDA

HEERLEN ♛

Bekender dan Bartje

De beroemdste romanheld uit het noorden van Nederland is
geen Fries, geen Groninger, geen Drent. Hij komt niet uit
Gelderland, Flevoland, Utrecht of Overijssel, maar uit Parijs.

Het zou een strikvraag in een literaire quiz kunnen zijn: wat is de bekendste romanfiguur die Noord-Nederland heeft opgeleverd? De gokjes zullen variëren van Bartje (uit het boek van Anne de Vries) tot Anton Wachter (uit de cyclus van Simon Vestdijk, en van Dingelam (voor Hermans-fans) tot Anijs (voor rosenboomianen). Maar het juiste antwoord is natuurlijk Maigret. De wereldberoemde politiecommissaris werd volgens zijn schepper, Georges Simenon, verzonnen in de haven van Delfzijl. Simenon was daar verzeild geraakt in het voorjaar van 1929, toen hij op weg van Parijs naar de Noordkaap zijn eigen schip moest laten opkalefateren. Op zoek naar een plaats om te schrijven, vond Simenon een verlaten bark. Hij zette zijn typemachine op een krat in het ruim en tikte binnen een dag of vijf *Pietr-le-Letton*, de eerste roman waarin Maigret de hoofdrol speelt.

Een mooi verhaal; Simenon bracht het zelf de wereld in bij de verschijning van deel 1 van zijn *Ver-*

zameld werk (1966), en het is dus geen wonder dat de stad Delfzijl niet lang daarna een beeldje van Maigret plaatste. Maar echt waar schijnt het niet te zijn. Twee experts hebben bewezen dat *Pietr-le-Letton* pas in april 1930 kan zijn geschreven, en dat Simenon – auteur van zeshonderd romans per slot van rekening – in de war moet zijn geweest met *Le château des sables rouges*. Deze roman, die is geschreven in Delfzijl en is gesitueerd in het Groningse 'Roodezand', draait ook om een Franse inspecteur, maar deze luistert naar de naam Sancette en lijkt in niets op de pijprokende en psychologisch meedogenloze Jules-Amedée-François Maigret.

En dan nog wat: wie Simenons romans uit de jaren twintig goed leest, komt Maigret al eerder tegen dan in *Pietr-le-Letton*. De commissaris speelt een bijrolletje in *Train de nuit* (1929) en een hoofdrol in *La maison de l'inquiétude* (1930); daarnaast trad er in de nog eerder verschenen romans *La figurante* en *La femme rousse* ook al een soort prototype van Maigret op. Waarschijnlijk telde Simenon die eerdere boeken in zijn persoonlijke mythologie niet mee omdat hij ze onder pseudoniem geschreven had.

Hoe het ook zij, Simenon was gegrepen door het noorden van Nederland, met zijn idyllische waterwegen en havensteden op broekzakformaat. Maar liefst drie van zijn romans spelen zich er af; behalve *Le château des sables rouges* ook *Un crime en Hollande* (1931), waarin Maigret een moordenaar zoekt in kringen van de Omo-witte burgerij van Delfzijl, en *L'assassin*, dat zich afspeelt in Sneek. Het standbeeldje aan het Delfzijlse Jaagpad mag dus best blijven staan.

★ Vonne van der Meer *Eilandgasten* (1999); de problemen en ethische keuzes van de gasten van een vakantie-adres

✤ Obe Postma *Van het Friese land en het Friese leven* (1918, vermeerderd uitgegeven in 1997); metafriezische gedichten

♥ Nienke van Hichtum *Afke's tiental* (1903); moeder vormt de spil van een arm Fries arbeidersgezin

✿ Anne de Vries *Bartje* (1935); jongetje wordt groot – zelfs al eet hij geen bonen

◪ S. Vestdijk *Terug tot Ina Damman* (1934); derde deel van de autobiografische Anton Wachter-cyclus doet verslag van een hopeloze jeugdliefde

◐ Georges Simenon *L'assassin* (1937); een Hollandse arts moet leven met schuld na een bijna perfecte moord op zijn ontrouwe vrouw en haar minnaar

♛ Willem Frederik Hermans *Onder professoren* (1975); onbenul en pretentie in kleinsteeds Academia

❋ Harry Mulisch '*De sprong der paarden en de zoete zee*' (1954); een jongetje wordt de mythograaf van het voormalige Zuiderzee-eiland

✖ Thomas Rosenboom *Publieke werken* (1999); een plattelandsapotheker krijgt mensenreddende bevliegingen

▲ Joost Zwagerman *De buitenvrouw* (1994); overspel en (maatschappelijk) onbehagen in de provincie

✗ Theun de Vries *De vertellingen van Wilt Tjaarda* (1941/1948); terugblikken op een verloren jeugd in een Fries dorp

◻ Rutger Kopland *Onder het vee* (1966); debuutbundel met onder meer het gedicht 'Gezicht op de Drentse A'

☾ Adriaan van Dis *Indische duinen* (1994); zwart-humoristisch verhaal over de haat-liefdeverhouding van een zoon en zijn vader

■ Renate Dorrestein *Een hart van steen* (1997); een gelukkig burgermansgezin desintegreert volledig na de geboorte van een vijfde kind

◆ Louis Ferron *De walsenkoning* (1983); het gekanker van een mislukte journalist in een regenachtige en kleingeestige provinciestad

⊙ Marcel Möring *In Babylon* (1997); een man raakt met zijn nicht ingesneeuwd in een geheimzinnig landhuis – en vertelt de geschiedenis van zijn familie

VLIELAND ★

LEEUWARDEN ✤ ✗ VENWOUDEN ♛ GRONINGEN

◪ HARLINGEN ♥ WARGA

DRENTSE AA

◐ SNEEK

✿ KLOOSTERVEEN

☾ BERGEN

▲ HOORN

✖ HOOGEVEEN

❋ SCHOKLAND

■ BLOEMENDAAL
◆ HAARLEM

TWENTE ⊙

⇕ RIJSSEN

ENSCHEDE ❖

☋ UTRECHT

WINTERSWIJK ≫

⊗ C.C.S. Crone *De schuiftrompet* (1936-1940); verzameld proza van de Utrechtse Nescio

⇕ Belcampo *Het grote gebeuren* (1958); novelle over een klein provincieplaatsje op de Dag des Oordeels

❖ Willem Brakman *Come-Back* (1980); een man komt na jaren terug in het 'onlieflijke stadje E.' en vindt er geen warm welkom

≫ Gerrit Komrij *Verwoest Arcadië* (1980); het leven is aftakeling in dit portret van de kunstenaar als jongetje en student

Te Rotterdam zijn wij vertrokken...

Vele steden in Zuid-Holland, Nederlands dichtstbevolkte provincie, hebben hun eigen chroniqueur – van Maassluis (Maarten 't Hart) tot Leiden (F.B. Hotz). Rotterdam en Den Haag hebben er vele.

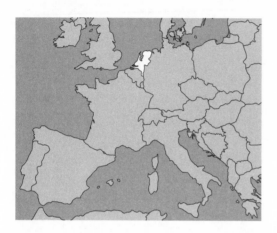

'Mooi of lelijk, de stad is altijd groots,' vond de schrijver F. Bordewijk (1884-1965). Hij kon het weten: hij werd geboren in Amsterdam, woonde het grootste gedeelte van zijn leven in Den Haag en verpandde zijn hart aan Rotterdam, de plaats waar hij als junior op een advocatenkantoor werkte. In de stad aan de Maas, waar 'het water van de zee met dat van de bergen een eeuwige bruiloft viert', situeerde hij zijn romans *Bint* en *Karakter*. Het laatste boek, dat twee jaar voor het bombardement op Rotterdam verscheen, is tegenwoordig samen met *Kruimeltje* van Chr. van Abkoude de levendigste literaire herinnering aan 'Rotterdam eer de Fielt hem het hart uit de bast sneed' – om een fameuze typering van Bordewijk te citeren.

De kaalheid, de winderigheid en de sfeer van wederopbouw in het Rotterdam van na de oorlog is terug te vinden in het werk van de jonggestorven dichter Cornelis Bastiaan Vaandrager, en natuurlijk in het verzameld werk van Rotterdams nachtburgemeester Jules Deelder, die het nieuwe Rotterdam in de jaren zeventig onder meer vereeuwigde in 'Stadsgezicht': 'Tegenwoordigheid van geest / en realisme in 't kwadraat / vieren onverstoorbaar feest / in een opgebroken straat'. Een groot contrast met het beeld van de majestueuze, rijk geurende havenstad die Jan Prins in 1937 opriep in 'De stad waar men kind is geweest' ('Te Rotterdam ben ik geboren...'); en ook met het nabijgelegen Den Haag, dat weliswaar in de oorlog gebombardeerd werd, maar zijn imago als deftige en enigszins slaperige residentie nooit verloren is.

Den Haag is de stad van Willem Brakman en Hella S. Haasse, van Bordewijk en Gerrit Achterberg (dichter van de raadselachtige regel 'Den Haag, je tikt ertegen en het zingt'), maar bovenal van Louis Couperus, die zich zelfs 'de Vliegende Hagenaar' noemde. Hoewel hij als dandy-journalist de helft van zijn leven doorbracht in het buitenland, keerde hij altijd weer terug naar de 'soezige', standsbewuste stad die hij met zedenromans als *Eline Vere* (1889), *De boeken der kleine zielen* (1901) en *Van oude mensen, de dingen die voorbijgaan* (1906) tot in Engeland beroemd maakte. Aan hem is het dan ook te danken dat het beeld dat Bordewijk in *Karakter* van de Hofstad schetst – 'stad van leeglopers en lammelingen' – in ons collectief bewustzijn niet de overhand heeft gekregen.

★ Hella S. Haasse *Een gevaarlijke verhouding of Daal-en-Bergse brieven* (1976); schrijfster voert een fictieve briefwisseling met de intrigante uit *Les liaisons dangereuses* van P. Choderlos de Laclos

◒ Jan Wolkers *Terug naar Oegstgeest* (1965); een schrijver keert terug naar het dorp uit zijn jaren-dertigjeugd en registreert het verval dat mettertijd komt

✠ Hildebrand *Camera obscura* (1839-1854); waarin opgenomen het Leidse verhaal over de hopeloos verliefde student 'Gerrit Witse'

✤ Boudewijn Büch *De kleine blonde dood* (1985); een man worstelt met de rol van zijn vader in het verleden en met de dood van zijn zoon twintig jaar later

↕ F.B. Hotz *De voetnoot* (1990); het verhaal van een treinbotsing in 1926 en de tante die daarbij haar voet verloor

◨ Gerrit Achterberg *Ode aan Den Haag* (1953); bundel sonnetten met onder meer 'Noordeinde', ʜᴛᴍ' en 'Passage'

♥ De Leidse (Endegeestse) verhalen van J.M.A. Biesheuvel, waaronder 'Een dag uit het leven van David Windvaantje' (1979)

▲ Marcellus Emants *Inwijding* (1901); een door klassenverschillen onmogelijke liefde tussen een carrièreman en een jaloers volksmeisje

♔ Frans Kellendonk *Letter en geest* (1982); 'spookverhaal' over een excentriekeling die als bibliothecaris vergeefs probeert 'mens onder de mensen te worden'

↻ Louis Couperus *Eline Vere* (1869); zedenroman over een erfelijk belast meisje dat het noodlot niet nodig heeft om ten onder te gaan

■ Maarten 't Hart *De aansprekers* (1979); man wordt door zijn vaders dood weer even kind tussen de mannenbroeders

◐ Arthur Japin *De zwarte met het witte hart* (1997); het verhaal van twee uit 19de-eeuws Ghana naar Nederland getransporteerde Ashanti-prinsjes speelt zich onder meer af op een kostschool in Delft

✤ F. Bordewijk *Karakter* (1938); een jongen die vooruit wil in de wereld moet opboksen tegen zijn meedogenloze vader, deurwaarder Dreverhaven

✪ Joyce Roodnat *'t Is zo weer nacht* (2001); een flierefluiter uit het vooroorlogse uitgaansleven stuit op zijn verwaarloosde zoon

◻ Chr. van Abkoude *Kruimeltje* (1922); een zwervertje vindt na barre avonturen zijn verloren gewaande ouders terug

❀ De Rotterdamse gedichten van J.A. Deelder ('Impressie', 'Kleine topografie van de Rijnmond') en C.B. Vaandrager ('Met andere ogen')

◆ Tracy Chevalier *Girl with a Pearl Earring* (2000); jonge huishoudster wordt muze en geliefde van Vermeer

◒ OEGSTGEEST
LEIDEN
WASSENAAR ✤
♥ ✠ ♔ ↕
DEN HAAG
★ ◨ ▲ ↻
DELFT
◆ ◐
■ MAASSLUIS
ROTTERDAM
◻ ✤ ✪ ❀

Doodlopende bruggen

Veel Zuid-Nederlandse schrijvers zijn door een carrière in de Randstad afgesneden van hun wortels. Alleen in hun boeken kunnen ze nog terug naar hun geboortegrond.

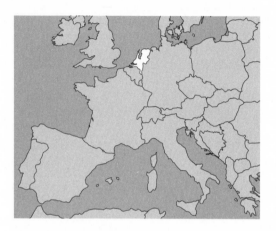

Bij de opening van de nieuwe brug over de Waal bij Zaltbommel, in januari 1996, schreef Ivo de Wijs een weemoedig sonnet over de 'smalle stalen brug' die zestig jaar eerder door Martinus Nijhoff was vereeuwigd in 'De moeder de vrouw'. Als geboren Tilburger was hij die brug overgegaan naar Amsterdam, waar hij carrière had gemaakt – en nu, dertig jaar later, kon hij niet meer terug: 'Verwijtend komt het heimwee op me af / Ga terug! Waar ben je al die tijd gebleven / Maar ach, mijn ouders liggen in hun graf / De lindeboom is weg, de kloof te groot / De oude brug bracht mij het volle leven / De nieuwe brug loopt onmiskenbaar dood.'

Het gedicht van De Wijs ('De brug terug') moet herkenbaar zijn voor veel Zuid-Nederlandse schrijvers, die door een carrière in de Randstad afgesneden zijn van hun wortels en alleen in hun boeken nog terug kunnen naar hun geboortegrond. De Geldroppenaar A.F.Th. van der Heijden en de Odiliënbergse Connie Palmen zijn vandaag de dag de bekendste voorbeelden, maar ook

de import-Amsterdammers G.A. van Oorschot (schrijvend onder het pseudoniem R.J. Peskens) en Frans Kellendonk lieten zich literair door het zuiden inspireren. De afstand stimuleerde een kritische beschouwing van het provinciebestaan; het beeld dat zij geven, verschilt vaak hemelsbreed van de gemoedelijke beschrijvingen van het dorpsleven in Grote Zuidelijke Romans als *Merijntje Gijzen* (A.M. de Jong), *Help, de dokter verzuipt!* (Toon Kortooms) en *Dorp aan de rivier* (Anton Coolen).

Voor niet-zuidelijke schrijvers lijkt Nederland beneden de rivieren in de eerste plaats een exotische locatie voor een goed verhaal. Neem Gerard Reve, die 'de stad V.' tot het decor maakte van zijn *Basic Instinct*-achtige thriller *De vierde man*. Of Boudewijn Büch, die zijn jeugdervaringen in een vakantiekamp in Boxtel mystificeerde tot een tocht door alle ringen van de hel. Een collectief trauma, de Watersnoodramp van 1953, inspireerde niet alleen de Kampervener Jan Terlouw tot een politiek geladen kinderboek, maar ook de Utrechtenaar Anton Koolhaas tot een Eros & Thanatos-verhaal dat (toevallig) in hetzelfde jaar verscheen.

En de buitenlanders? Die schrijven over onze zuidelijke provincies zonder uitzondering historische romans – over het leven van Jeroen Bosch (Peter Dempf), het beleg van Breda (Arturo Pérez-Reverte), de Gouden Eeuw van Middelburg (Jane Stevenson) of de Tweede Wereldoorlog in Limburg (Richard Powers). Je zou bijna gaan denken dat er in de afgelopen vijftig jaar beneden de Moerdijk niets gebeurd is dat internationaal de literaire verbeelding heeft kunnen prikkelen.

★ Jan Terlouw *Oosterschelde windkracht 10* (1976); kinderklassieker over de watersnoodramp van 1953 en de strijd om de Oosterscheldedam daarna

❖ Martinus Nijhoff '*De moeder de vrouw*' (1933) en Ivo de Wijs '*De brug terug*' (1996); weemoedige gedichten over de (oude en de nieuwe) brug over de Waal

❖ Jan Siebelink *De overkant van de rivier* (1990); kroniek van drie generaties en een veerhuis – Hanna, Hanna en Marije in de Betuwe

❋ Frans Kellendonk *Bouwval* (1977); streek- en familienovelle over een Nijmeegs jongetje dat zijn wereld ineen ziet storten

◪ Anton Koolhaas *Tot waar zal ik je brengen?* (1976); liefde en dood tegen de achtergrond van een zware orkaan en een verwoestende vloedgolf

✗ Peter Dempf *Das Geheimnis des Hieronymus Bosch* (1999); intriges rondom het schilderij 'De tuin der lusten'

✪ Anoniem *Mariken van Nieumeghen* (1514); mirakelspel over een meisje dat haar ziel verkoopt aan de duivel

▲ Jane Stevenson *Astrea* (2001); de geheime liefde van een ex-slaaf en de afgezette 'Winterkoningin' in de 17de eeuw

✘ Toon Kortooms *Help, de dokter verzuipt!* (1968); immens populaire roman over de liefde tussen een import-dorpsdokter en een onderwijzeres in De Peel

Map labels:
OVERFLAKKEE ★
WAAL
ZALTBOMMEL ✚
ALVERNA ❋
VELP ✖
NIJMEGEN ❋
OOSTERSCHELDE
LITH ✪
DEN BOSCH ◪
NIEUW-VOSSEMEER ◆
BREDA ◑
BOXTEL ↕
MIDDELBURG ◪▲
VLISSINGEN ◔■
DEURNE ✖
GELDROP ♥
SINT-ODILIËNBERG ◉
HEERLEN ≫
MAASTRICHT ♛
VAALS ◰

◔ Gerard Reve *De vierde man* (1981); Zeeuws moordmysterie in een driehoeksverhouding werd aanvankelijk geweigerd als Boekenweekgeschenk

■ R.J. Peskens *Twee vorstinnen en een vorst* (1975); vijftien verhalen die samen de Bildung van een jongetje beschrijven

◆ A.M. de Jong *Merijntje Gijzen*-cyclus (1925-1938); acht romans over de jeugdjaren van een Brabantse dorpsjongen

◑ Arturo Pérez-Reverte *De zon van Breda* (1998); een Spaanse schildknaap beleeft de vuile, 'tachtigjarige' oorlog

↕ Boudewijn Büch *Het dolhuis* (1987); een man probeert in het reine te komen met zijn jeugd, die is verpest door zijn verblijf in een Brabants gekkenhuis

✪ Anton Coolen *Dorp aan de rivier* (1934); belevenissen van een huisarts in een Brabants dorpje dat is overgeleverd aan de grillen van de Maas

♥ A.F.Th. van der Heijden *Vallende ouders* (1983); het eerste deel van '*De tandeloze tijd*' gaat onder meer over Albert Egberts' Brabantse jeugd

♛ Henric van Veldeke *Sint Servaes legende* (ca 1200); Middelnederlands gedicht over de patroonheilige van Maastricht

◰ Ton van Reen: *De bende van de Bokkenrijders* (2003); bundeling van vier jeugdromans over een boerenzoon die zich aansluit bij de 'hongerbendes' die Zuid-Limburg in de 18de eeuw onveilig maakten

◉ Connie Palmen *De vriendschap* (1995); roman over de hechte vriendschap tussen twee zeer verschillende vrouwen die opgroeiden in een Limburgs dorp

≫ Richard Powers *Three Farmers on their Way to a Dance* (1985); de oorlogstrauma's van moderne Amerikanen met een Nederlands-Duits verleden

Beland in Mokum

Als geen andere stad in Nederland is Amsterdam verankerd in de literaire verbeelding. Van de Dapperstraat tot de Passeerdersgracht en van het Victoriahotel tot het 'A.P. Beerta Instituut'.

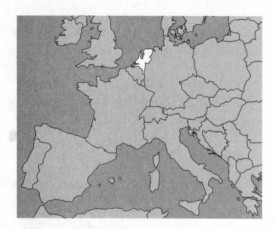

Uit de eerste kaart van deze literaire atlas bleek het al: Amsterdam is – als centrum van tolerantie en losse zeden – een favoriete locatie voor beroemde schrijvers uit het buitenland. Maar het is ook de habitat van geboren Amsterdammers als Bredero, Multatuli, Nescio, Bordewijk, Hermans en Reve. De grootste stad van Nederland, waar zich van oudsher het literaire leven concentreert, is bovendien een magneet voor (aspirant-)schrijvers van heinde en verre. De Keulenaar Joost van den Vondel, auteur van *Gijsbrecht van Aemstel*, mag je niet meerekenen, want die kwam in 1597 met zijn ouders mee; maar de lijst is lang en loopt van Afth tot Zwagerman.

Er zou een mooie, Michael Palin-achtige televisieserie te maken zijn over de literaire gebouwen en straten van Amsterdam. En dan moet het niet gaan om geboortehuizen van schrijvers of om plaatsen waar de literaire herinnering kunstmatig levend wordt gehouden door standbeelden en andere monumenten (zoals het Arthur van Schendel-borstbeeld in het Leidsebosje of de Titaantjes van Nescio in het Oosterpark). Nee, de aanbevolen bezienswaardigheden zouden zich moeten beperken tot de locaties die de gemiddelde toerist vooral kent uit beroemde romans, toneelstukken en gedichten. De Dapperstraat waar J.C. Bloem domweg gelukkig was; het gebouw op de Passeerdersgracht dat Bordewijk inspireerde tot *Rood paleis*; het voormalige Huis van Bewaring waar zich de sleutelscène afspeelt uit de *Advocaat van de hanen*; het Montessorilyceum dat wordt vervloekt in de debuutroman van Herman Koch; de Sarphatistraat die volgens Nescio alleen gewaardeerd werd door een man die vreemder was dan de uitvreter uit zijn gelijknamige novelle.

Overigens is Amsterdam voor de literair geograaf geen terra incognita: alleen al in de afgelopen jaren verschenen boekjes met literaire wandelingen op basis van het werk van Gerard Reve en A.F.Th. van der Heijden, terwijl in 2003 onder de titel *De stad is in verval* 'een literaire wandeling door het Amsterdam van Willem Frederik Hermans' ten doop werd gehouden. Wat nog ontbreekt is een reisgids met rondwandelingen langs de overige *literary landmarks*, van de Beethovenstraat waar 'Arnon' uit *Blauwe maandagen* domweg ongelukkig was, via het kantoor van J.J. Voskuil op de Keizersgracht, tot het hotel uit Rosenbooms *Publieke werken* dat rondom twee dapper stand houdende huisjes is heen gebouwd. Voor lezende lopers is het kaartje hiernaast een eerste wegwijzer.

★ **NOORDERMARKT**

Multatuli *Woutertje Pieterse* (1890, postuum); een dromerig jongetje groeit op tussen schoolmeesters en burgervrouwen

◐ **DE DAM**

W.F. Hermans *De tranen der acacia's* (1949); een identiteitscrisis in het onheroïsche Amsterdam van de bezettingsjaren

✕ **PRINS HENDRIKKADE**

Thomas Rosenboom *Publieke werken* (1999); ijdele 19de-eeuwse idealist bindt de strijd aan met opdringerige projectontwikkelaar

◢ **JORDAAN**

Theo Thijssen *Kees de jongen* (1923); de arme jeugd van een bijzondere schoenmakerszoon

AMSTERDAM-CENTRUM

AMSTEL

◑ **ZEEDIJK**

Albert Camus *La chute* (1956); in een bar in de hoerenbuurt biecht een Franse advocaat zijn hypocriete leven

♥ **OUDEKERKSPLEIN**

John Irving *A Widow for One Year* (1998); schrijfster is getuige van moord in Amsterdamse peeskamer

▲ **ROKIN**

Yaakov Shabtai *Slotakkoord* (1984); een door de dood opgejaagde Israëli begint zijn vakantie in somber Amsterdam

♙ **PASSEERDERSGRACHT**

F. Bordewijk *Rood paleis* (1936); de ondergang van een bourgeois bordeel luidt symbolisch het einde van de 19de eeuw in

♛ **WATERLOOPLEIN**

Robert Menasse *Die Vertreibung aus der Hölle* (2001); de zoon van vervolgde joden probeert een identiteitscrisis te bezweren door onderzoek te doen naar een van zijn Amsterdamse voorouders

◼ **LEIDSEPLEIN**

Remco Campert *Tjeempie* (1968); het verhaal van 'Liesje in Luiletterland' in de jaren 60

♐ **PIETER DE HOOCHSTRAAT**

Herman Koch *Red ons, Maria Montanelli* (1989); een Amsterdamse jongen over zijn jeugd in het Montessorisysteem

◼ **SINGEL**

Joost Zwagerman *Gimmick!* (1989); de decadente kunstenaarsscene van de jaren 80 door de ogen van een nog niet geheel verloederde hoofdpersoon

◆ **BEETHOVENSTRAAT**

Arnon Grunberg *Blauwe maandagen* (1994); verkripte jongen zoekt liefde, seks en zichzelf

✚ **KEIZERSGRACHT**

J.J. Voskuil *'Het Bureau'* (1996-2000); prinzipienreiter maakt vuile handen op een academisch instituut

❖ **JOZEF ISRAELSKADE**

Gerard Reve *De avonden* (1947); tien dagen uit het leven van een opstandige jongeling

✪ **SLOTERMEER**

Kees van Beijnum *De oesters van Nam Kee* (2000); een gymnasiumjochie vindt de liefde van zijn leven te midden van kruimelcriminelen

'GROOT AMSTERDAM'

❀ **AMSTELVEENSEWEG**

A.F.Th. van der Heijden *Advocaat van de hanen* (1990); dipsomane advocaat verliest tijdens de krakersprotesten van de jaren 80 zijn vrouw en zijn zelfrespect

✗ **AMSTEL**

H.M. van den Brink *Over het water* (1998); strak gestileerde novelle over twee olympische roeiers vóór de Tweede Wereldoorlog

◉ **BIJLMERMEER**

Moses Isegawa *Abyssinian Chronicles* (1998); rouwdouw baant zich een weg van Idi Amins Oeganda naar de Bijlmer van de jaren 90

De schreeuw van Vlaanderen

Sinds Hendrik Conscience hebben weinig schrijvers zich
positief over Vlaanderen uitgelaten. Gelukkig is er 'Le plat pays'
van Jacques Brel.

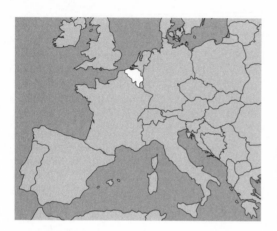

'Vlaanderen boven' zong Raymond van het
Groenewoud in het liedje dat in 2002, bij de
700ste herdenking van de Guldensporenslag, tot
officieus volkslied werd verheven. Zijn beeld van
het 'land bij het Noordzeestrand' was niet al te
florissant: zwart geld, dikke buiken, gebrekkige
taalbeheersing. Maar het sluit mooi aan op het
Vlaanderen dat we kennen uit de literatuur. Sinds
Hendrik Conscience (*De leeuw van Vlaanderen*,
1838) en Charles de Coster (*Ulenspiegel*, 1867) is
Nederlandstalig België zelden positief vereeuwigd. Of het nu buitenlandse schrijvers zijn of in-
boorlingen, allemaal schilderen ze Vlaanderen af
als een poel van ellende waar, zoals Ernst van Al-
tena het in zijn vertaling van Jacques Brels chanson 'Le plat pays' (1962) formuleert, de lage lucht
'vaal als keileem is'.

Nu heeft Vlaanderen ook geen al te vrolijke geschiedenis. In de Eerste Wereldoorlog was het
een van de grote slagvelden, waar dichters als
Rupert Brooke, Wilfred Owen, Siegfried Sas-

soon en Robert Graves in de loopgraven lagen. In
de Tweede Wereldoorlog was er de collaboratie
van de flaminganten die schrijvers als Erwin
Mortier (*Marcel*) en Hugo Claus (*Het verdriet van
België*) inspireerde. En in de hele twintigste eeuw
zuchtten de Belgen onder de verstikkende deken
van het katholicisme, dat nóg meer auteurs
in vuur en vlam zette dan het gereformeerde geloof deed in de noordelijke Nederlanden. Geen
wonder dat het nog moeilijk is om te bepalen welke Vlaamse stad of streek er in de literatuur
het slechtst afkomt. Antwerpen, de stad van desillusies? 'Flanders Fields', waar honderdduizen-
den soldaten de dood vonden? Naargeestig Aalst,
waarvan de industrialisatie beschreven is door
Louis Paul Boon? Of toch Brugge, dat al door
Georges Rodenbach aan het einde van de negentiende eeuw werd beschreven als een dode stad,
om daarna nooit meer van dat imago af te komen?

Voor een heroïsch literair beeld van hun land
moeten de Vlamingen bij Jacques Brel zijn, hoe
francofoon de chansonnier ook was. Zijn *plat
pays* mag dan woest en ledig zijn, overdekt met
regenbuien en laaghangende bewolking; het was
ook een indrukwekkend pioniersgebied, met ka-
thedralen als enige bergen en plotselinge weers-
veranderingen als contrapunt. Naar het schijnt is
er ooit een monumentje opgericht voor Brels
Vlaamse heldin Marieke. Maar de in Brussel geboren *'flamand d'expression française'* verdient zelf
ook een standbeeld – op een van de plaatsen
waarover hij heeft gezongen: Oostende, Knok-
ke-le-Zoute, Zeebrugge, of ergens *'entre les tours/
de Bruges et Gand'*.

✤ Charles de Coster *La légende d'Ulenspiegel* (1867); onafhankelijke Vlaamse schelm licht de autoriteiten op, tijdens de Tachtigjarige Oorlog

▲ Marguerite Yourcenar *L'oeuvre au noir* (1968); 16de-eeuwse filosoof in Brugge beweegt zich tussen katholicisme en protestantisme, wetenschap en alchemie, mannen en vrouwen

♥ Felix Timmermans *Pallieter* (1916); een plattelander is onbekommerd één met de natuur en de seizoenen

✪ Louis Paul Boon *De Kapellekensbaan* (1953); het fragmentarische verhaal van de ambitieuze Ondine (én haar literaire schepper, én een moderne Reinaert de vos) illustreert de 'moeizame opgang van het socialisme'

★ Georges Rodenbach *Bruges-la-Morte* (1892); fin-de-siècle-roman over een man die rouwt om zijn gestorven geliefde

☾ Hugo Claus *De Oostakkerse gedichten* (1953); mysterieuze (liefdes)poëzie over het landleven in een Vlaamse bedevaartplaats

■ Herman Brusselmans *De man die werk vond* (1985); een bibliothecaris op de rand van de wanhoop

⚥ Tom Lanoye *Kartonnen dozen* (1991); een gelukkige jeugd en een ongelukkige jongensliefde in kleinsteeds Vlaanderen

X Anoniem *Van den vos Reinaerde* (13de eeuw); Middelnederlandse maatschappijsatire over een sluwe vos en zijn willige slachtoffers

◪ Marnix Gijsen *Klaaglied om Agnes* (1951); een Orpheus-en-Eurydice-variatie over een jongen en zijn gestorven jeugdliefde

◆ De Vlaanderen-chansons van Jacques Brel, waaronder 'Marieke' (1961) en 'Le plat pays' (1962)

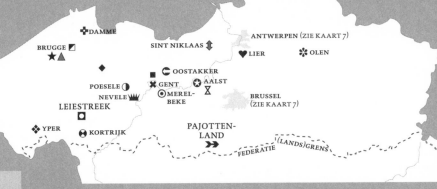

✤DAMME
BRUGGE ◪
★ ▲
SINT NIKLAAS ⚥
ANTWERPEN (ZIE KAART 7)
♥ LIER
✤ OLEN
◆
☾ OOSTAKKER
POESELE ◖
✖ GENT ✪ AALST
NEVELE ♛
⦿ MEREL-BEKE
X
BRUSSEL (ZIE KAART 7)
LEIESTREEK
◙
✤ YPER
◉ KORTRIJK
PAJOTTEN-LAND
➤➤
FEDERATIE (LANDS)GRENS

✤ De loopgraafgedichten van Rupert Brooke (*1914 and Other Poems*, 1915), Wilfred Owen ('*Dulce et decorum est*', 1917) en Siegfried Sassoon (*The Old Huntsman*, 1917)

✖ Jean Ray *Malpertuis* (1943); in het Frans geschreven gotische roman over een spookhuis waar verschillende werelden tezamen komen

✢ Walter van den Broeck *Brief aan Boudewijn* (1980); schrijver leidt zijn koning rond in de Kempische werkelijkheid

⊕ Hendrik Conscience *De leeuw van Vlaanderen* (1838); in dit nationale epos over de Guldensporenslag (1302) maakt het Vlaamse proletariaat korte metten met de Franse overheerser

◙ Stijn Streuvels *De vlaschaard* (1907); een hereboer in de vlasstreek vecht een conflict op leven en dood uit met zijn zoon

♛ Erwin Mortier *Marcel* (1999); een jongetje groeit op in een familie met een (oorlogs)geheim

➤➤ Oscar van den Boogaard *De heerlijkheid van Julia* (1996); middelbare vrouw streeft naar 'extase' door middel van een overspelige relatie met haar buurman

⦿ Stefan Hertmans *Naar Merelbeke* (1994); pastiche op het populaire genre van de autobiografische roman over een jeugd op het platteland

◖ Monika van Paemel *De vermaledijde vaders* (1985); epos over Oost-Vlaanderen in de 20ste eeuw

Vergeten stad

Terwijl Antwerpen, de stad van Elsschot en Gilliams, niet te klagen heeft over haar literaire chroniqueurs, wacht de andere metropool van België nog steeds op de Grote Brusselse Roman.

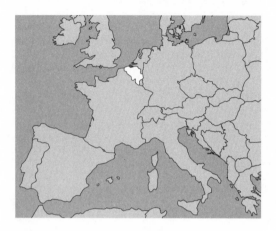

Het eiland Amoras. Wattman. De Zwarte Madam. De Raap van Rubens. Ik zal niet de enige lezer zijn die kennismaakte met Antwerpen via Suske & Wiske. De verhalen van Willy Vandersteen (1913-1990), geboren in de volkswijk de Seefhoek, dreven vooral in de beginjaren van de strip op Antwerpse couleur locale en op het plat-Vlaamse dialect van komische figuren als Lambiek en Sidonie. In latere albums was de taal voor de Nederlandse markt gekuist en reisden de hoofdfiguren steeds vaker naar verre landen en lang vervlogen tijden; maar de Suske & Wiske-fan die voor het eerst in Antwerpen komt, heeft het gevoel dat hij de stad al door en door kent – ongeveer zoals New York City iedere film- en televisiekijker bekend zal voorkomen.

Voor de beginnende lezer is Willem Elsschot de beste opvolger van Vandersteen als kroniekschrijver van Antwerpen. In romans als *Kaas* (over de gefnuikte ambities van een kantoorklerk) en *Het dwaallicht* (over een nachtelijke zwerftocht door het Antwerpse havengebied) gaf Elsschot een sfeervol beeld van de rommelige stad die de enige grootstad van Vlaanderen vóór de Tweede Wereldoorlog was. Zijn antiheld Frans Laarmans is zonder twijfel de grootste romanfiguur die ooit tussen Schelde en Albertkanaal heeft rondgelopen.

Elsschot werd geboren in Antwerpen (1882), woonde er het grootste gedeelte van zijn leven, en stierf er in 1960. Toch was hij niet eenkennig. Zijn romandebuut, *Villa des roses*, speelt in Parijs (zie kaart 10) en de beroemde dubbelroman *Lijmen / Het been* in Brussel. Gelukkig maar, want de grootste stad van België is verder geen bijster populaire inspiratiebron voor fictieschrijvers. Wereldauteurs als Victor Hugo, Alexandre Dumas en Willem Frederik Hermans zochten er op moeilijke momenten in hun leven hun toevlucht, maar vereeuwigden de stad niet in hun grote werken. Alleen Charlotte Brontë, die België halverwege de negentiende eeuw eerst als toeriste en daarna als gastarbeidster bezocht, gaf Brussel in een van haar romans een rol op de achtergrond. Zelfs Belgische auteurs zijn niet scheutig geweest met fictie over Brussel. Je hebt Elsschot, Lanoye en Louis Paul Boon (die verder toch meer in zijn geliefde Aalst geïnteresseerd was); daarnaast heb je vooral memoireschrijvers als Raymond Brulez en Erik de Kuyper. En de Franstalige auteurs? Als je Neel Doff, de schepster van Keetje Tippel, niet meerekent, hou je eigenlijk alleen Jacqueline Harpman en Pierre Mertens over. Goed, ze schreven romans over hun woonplaats. Maar de Faulkner of Joyce van de Brusselse agglomeratie kun je ze moeilijk noemen.

★ Willy Vandersteen *De Zwarte Madam* (1949); Suske en Wiske binden in deze strip de strijd aan met drie duivelse figuren die Vlaanderen op stelten zetten

◪ Maurice Gilliams *Winter in Antwerpen* (1953); Gilliams' alter ego Elias overdenkt zijn jeugd op de dag dat hij uit het ziekenhuis ontslagen wordt

✪ Hubert Lampo *De komst van Joachim Stiller* (1960); magisch-realistische roman over een Jezusfiguur die zijn opwachting in Antwerpen maakt

 ANTWERPEN

HET STEEN

GROTE MARKT

KLOOSTER-STRAAT

CENTRAAL STATION

❖ Jef Geeraerts *De PG* (1998); een foute Antwerpse procureur-generaal wordt het symbool van een gecorrumpeerde hogere klasse

◨ Ivo Michiels *Het afscheid* (1957); symbolisch-existentialistische roman over een zeeman en zijn vrouw die door omstandigheden telkens tot afscheid nemen worden gedwongen

❖ J.M.H. Berckmans *Taxi naar de Boerhaavestraat* (1995) verhalenbundel over alcoholisten en racisten in 'Barakstad'

 Willem Elsschot *Kaas* (1933); een Antwerpse klerk verliest zijn illusies bij het opzetten van een kaashandel

✪ Carl Friedman *Twee koffers vol* (1993); een filosofiestudente in de jaren 70 worstelt met de oorlog van de oudere generatie, en vindt haar joodse identiteit

---

▲ Neel Doff *Keetje Trottin* (1921); misbruikt meisje ontworstelt zich via de bedden van geile mannen aan de armoede

◆ Raymond Brulez *Mijn woningen* (1950-1968); in de laatste delen van deze ge-romantiseerde memoires bevindt de ikfiguur zich in Brussel

■ Louis Paul Boon *Vergeten straat* (1944); opkomst en ondergang van Brusselse wereldverbeteraars

☯ Erik de Kuyper *De hoed van tante Jeannot* (1990); autobiografische, proustiaanse 'taferelen uit de kinderjaren in Brussel'

✗ Charlotte Brontë *Villette* (1853); gothic light-verhaal over de liefdes en jaloezieën van een lerares op een Belgische meisjes-school

☉ Tom Lanoye *Het goddelijke monster* (1997); *Zwarte tranen* (1999); *Boze tongen* (2002); trilogie over het machtige geslacht Deschryver te midden van de corruptie van de Belgische politiek en samenleving in de jaren 80 en 90

 BRUSSEL

DE BROUCKÈREPLEIN

GROTE MARKT WETSTRAAT

KONINKLIJK PALEIS

♥ Joseph Conrad *Heart of Darkness* (1898); moraliteit over een helletocht over de Kongo-rivier begint in '*the white sepulchral city*'

♛ Jacqueline Harpman *Le bonheur dans le crime* (1993); in de file vertelt een verliefde priester-arts een tragisch verhaal uit zijn praktijk

✿ Pierre Mertens *Un paix royale* (1995); controversiële faction over de even controversiële koning Leopold III en zijn hof-houding

◑ Louis Couperus *Eline Vere* (1889); 'Haagse' zedenroman over een erfelijk belast meisje speelt gedeeltelijk in de Belgische hoofdstad

≫ Willem Elsschot *Lijmen* (1924) en *Het been* (1938); de naïeveling Laarmans gaat in de leer bij Boorman, een meesteroplichter die slechts één keer berouw krijgt

Het land van Maas en Waals

Zonder Waterloo en de Ardennen zou Wallonië nooit literair op de kaart gezet zijn. En Luxemburg is helemaal karig met meesterwerken bedeeld.

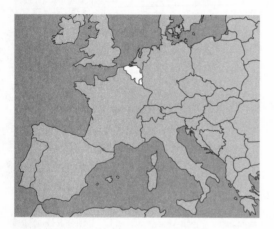

Het is een van de legendarische passages uit de wereldliteratuur: de Slag bij Waterloo zoals die beschreven wordt door Stendhal in het begin van *La chartreuse de Parme*. Niet omdat de gruwelen zo memorabel zijn, of omdat de strategie van Napoleon en zijn tegenstanders zo briljant wordt geanalyseerd; maar juist omdat Stendhal als geen ander weet over te brengen wat een wanorde het op het slagveld geweest moet zijn. De hoofdpersoon van 'De kartuize van Parma', de jonge Italiaanse edelman Fabrice del Dongo, is in een opwelling naar België gereden om zijn held Napoleon bij te staan, maar arriveert te laat en rent vervolgens als een kip zonder kop over de modderige velden heen en weer. Hij krijgt te maken met deserteurs en plunderaars, chaos en kogels, en komt uiteindelijk berooid en gewond uit de strijd, zonder dat hij ook maar enig idee heeft wat hem precies is overkomen. 'Had hij nu echt een veldslag gezien?' vraagt hij zichzelf af. 'En zo ja, was dat de slag van Waterloo?'

Van alle plaatsen in Wallonië heeft Waterloo de literaire verbeelding het meest geprikkeld: be-

halve Stendhal, die zelf (rond 1800) had meegevochten in het Franse leger, speelt de laatste slag van Napoleon een rol in romans van Victor Hugo, William Thackeray en (recenter) de Schot Alan Massie. Alleen de Ardennen, de oudste bergen van Europa, zijn als literaire locatie vergelijkbaar populair, en dan vooral bij Nederlandse schrijvers als Hella Haasse, Tim Krabbé en René Appel (*Misbruik wordt gestraft*, 2004), die in de grotten en naaldbossen rondom de Ourthe kennelijk het perfecte decor zien voor thrillers over de duistere krachten in de mens. Voor Shakespeare was het 'Ardeense Woud' zelfs een verbanningsoord, hoewel hij er in *As You Like It* tamelijk lichtvoetig over schrijft. Op grond van het laatste hebben sommige geleerden dan ook beweerd dat de Bard nooit de Ardennen bedoeld kan hebben, en dat hij met zijn '*Forest of Arden*' gewoon naar een bos in Noord-Engeland verwees.

België produceerde een groot aantal beroemde Franstalige schrijvers, van wie er één – de toneelschrijver Maurice Maeterlinck – geëerd werd met de Nobelprijs voor literatuur. Maar de meesten van hen, zoals Georges Rodenbach en Charles de Coster) zijn francofone Vlamingen, die vooral over Vlaanderen schreven (zie kaart 6). En zelfs de weinige Waalse auteurs van naam lieten Wallonië in hun werk links liggen – van de in Namen geboren surrealist Henri Michaux tot de Brusselse Marguerite Yourcenar. Het schrijnendste voorbeeld is Georges Simenon, geboren en getogen in Luik en op negentienjarige leeftijd verhuisd naar Parijs. De schepper van Maigret schreef honderden boeken, maar wijdde er maar een handvol aan zijn geboortegrond. Hij was een genie dat zijn eigen land niet eerde.

Stendhal *La chartreuse de Parme* (1839); in het eerste deel van deze romantische avonturenroman loopt de hoofdpersoon verdwaasd rond te midden van de chaos van de slag bij Waterloo

▲ Allan Massie *The Ragged Lion* (1995); pseudo-autobiografische tekst van de romanschrijver Walter Scott die in 1815 het nasmeulende slagveld van Waterloo bezoekt

✆ Georges Simenon *Pedigree* (1948); autobiografische roman over een jongetje dat opgroeit in een Belgische stad aan het begin van de 20ste eeuw

★ William Thackeray *Vanity Fair* (1847-1848); zedenkomedie over de vervlochten levens van een uitgekookt weesmeisje en haar brave vriendin voert langs Brussel en Waterloo

■ Hubert Krains *Le pain noir* (1904); in deze naturalistische streekroman komt een ambitieuze herbergier ellendig aan zijn eind

➤➤ Walter Scott *Quentin Durward* (1823); avonturenroman over een Schot in dienst van een Bourgondische gravin, tijdens het beleg van Luik (15de eeuw)

 Victor Hugo *Les misérables* (1862); de alwetende verteller van het verhaal van Jean Valjean, een dief die zijn leven betert, weidt uit over de strategie van de slag bij Waterloo

↻ Amélie Nothomb *Les Catilinaires* (2001); psychologische thriller over een rentenierend echtpaar dat op het platteland door buren wordt geterroriseerd

◆ Tessa de Loo *De tweeling* (1993); twee vrouwen die na de dood van hun ouders aan weerszijden van de Nederlands-Duitse grens opgroeiden, ontmoeten elkaar in een kuuroord en delen hun oorlogservaringen

CLABECQ C CÉROUX-MOUSTY
FEDERATIE (LANDS)GRENS
▨ ★ WATERLOO
HASPENGOUW ■
➤➤ LUIK
WALLONIË
SPA ◆
‡ ✗ DE ARDENNEN
HOUFFALIZE ✪
LAROCHE ✦
DASBURG ◻
WALDBILLIG ◉
LUXEMBURG

♥ Hergé *Tintin et les bijoux de la Castafiore* (1963); een mysterieuze diefstal op kasteel Molensloot

‡ Hella S. Haasse *Fenrir. Een lang weekend in de Ardennen* (2000); thriller annex familiedrama over een indringer op een verlaten landgoed

✪ Ronald Giphart *GIPH* (1993); studentenschelmenroman speelt zich behalve in de Amsterdamse literaire wereld ook af in het stroomgebied van de Ourthe

✗ William Shakespeare *As You Like It* (1599); travestie en komische persoonsverwisselingen in het bos waar een verdreven hertog zich schuilhoudt

❖ Tim Krabbé *De grot* (1997); een man lijdt zijn leven lang (tot in de dood) aan een minderwaardigheidscomplex tegenover een jeugdvriend

◻ Roy Jacobsen *Grenzen* (1994); het Ardennenoffensief en het beleg van Stalingrad zijn de basis voor een filosofische roman over de zin en onzin van door de mens getrokken grenzen

◉ Michel Rodange *Rijnaart of de vos in menselijke gedaante* (1872); de Luxemburgers moeten het ontgelden in deze modern-satirische variatie op de Reinaertlegende, geschreven in het Letzebourgs

De hel van het Noorden

De meeste boeken die zich afspelen in Noord-Frankrijk gaan over de verschrikkingen van de Eerste Wereldoorlog. Maar ook in vele andere is somberheid troef.

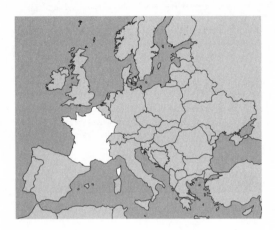

'Heel Gallië is verdeeld in drieën' schreef Julius Caesar aan het begin van zijn *Gallische oorlog*. Zo is het ook in deze literaire atlas; zij het dat de hoofdstad Parijs een eigen kaart (10) heeft gekregen. Caesar vervolgde zijn verslag met de opmerking dat de stammen in het noorden, de Belgen, het wildst waren (omdat ze het verst van de Romeinse beschaving af woonden). En met een beetje fantasie zou je dat ook in de literatuur kunnen terugzien: de grote romans over Noord-Frankrijk hebben iets rauws, iets troosteloos. Er zijn er maar weinig waar je vrolijk van wordt.

Dat is niet verwonderlijk, want de meeste boeken die zich afspelen in Picardië, Champagne en Lotharingen gaan over de Eerste Wereldoorlog, en dan vooral over de loopgravenoorlog die er tussen 1914 en 1918 werd uitgevochten. Miljoenen soldaten stierven op de slagvelden tussen Passchendaele en Verdun, en daar waren tientallen (wie weet wel honderden) literatoren bij: dichters

als Rupert Brooke en Wilfred Owen (die in 1918 aan de Sambre sneuvelde), memoireschrijvers als Robert Graves (*Goodbye to All That*) en Siegfried Sassoon (*Memoirs of an Infantry Officer*), romanciers als de Fransman Henri Barbusse, de Amerikaan e.e. cummings en de Duitser Erich Maria Remarque. De desillusies van een oorlog die als *frisch und fröhlich* was aangekondigd, werden verwerkt in een golf oorlogsboeken, die bijna honderd jaar na dato nog steeds voortrolt. Moderne bestsellerauteurs als Sebastian Faulks (*Birdsong*) en Pat Barker ('*The Regeneration Trilogy*') hebben hun faam aan de loopgraven te danken.

Behalve het stamland van oorlogsliteratuur en van pessimistische romans over regenachtige mijn- en havensteden (Zola's *Germinal*, Sartres *La nausée*) is Noord-Frankrijk ook de locatie van twee van de invloedrijkste klassieken van de Franse letteren: *Madame Bovary* en *Du côté de chez Swann*. De saaie Normandische plaatsjes waar deze romans zich afspelen, Ry (Yonville-l'Abbaye bij Flaubert) en Illiers (Combray bij Proust), braden de boter uit hun connecties met de grote schrijvers. In Ry bevindt zich een automatenmuseum met scènes uit de roman, en wordt Bovary-cider geschonken in restaurant l'Hirondelle (genoemd naar de diligence waarin zich de ontmoetingen van Emma Bovary en haar minnaar voltrokken). In Illiers eet men madeleines en gaat men naar het verbouwde huis van Prousts tante Léonie, waar een museum is gevestigd. Om de toerist te lokken heeft het slaperige dorpje zelfs zijn naam veranderd. Het heet nu officieel Illiers-Combray.

★ Laurence Sterne *A Sentimental Journey through France and Italy* (1768); parodie op de Grand Tour komt niet verder dan Noord-Frankrijk

☾ Henri Barbusse *Le feu* (1916); felrealistische kroniek van het compagnieleven aan het westelijk front

♛ e.e. cummings *The Enormous Room* (1922); de 'Great War' bezien vanuit een interneringskamp

⊙ Emile Zola *Germinal* (1885); Belgische buitenstaander bemoeit zich met een staking onder Noord-Franse mijnwerkers

◑ Gustave Flaubert *Madame Bovary* (1857); romantisch aangelegde doktersvrouw probeert door middel van overspel aan de Normandische kleinburgerlijkheid te ontsnappen

■ Sebastian Faulks *Birdsong* (1993); liefde en loopgraven in de velden van Picardië

⇉ Erich Maria Remarque *Im Westen nichts Neues* (1929); een vriendengroep gaat enthousiast de loopgraven in en komt er gedesillusioneerd (en gedecimeerd) weer uit

★ CALAIS

LENS ☾

AMIENS ■

◆ VALOGNES

□ CUVERVILLE

△ LE HAVRE ◑ **RY**
✕ ROUEN

MONTSOU ⊙

♛ NOYON
SOISSONS ⇉

NORMANDIË

⊕

CHÂTEAU-THIERRY
✥

♢ VERDUN

♥ FOUGÈRES

BRETAGNE

✪ ILLIERS-COMBRAY

PARIJS
(ZIE KAART 10)

⇑ NANTES

✕ Julian Barnes *Flaubert's Parrot* (1984); quasi-encyclopedische roman over een gepensioneerde dokter die geobsedeerd is door het leven van Flaubert

◆ Jules Barbey d'Aurévilly *Les diaboliques* (1874); meermaals verfilmd griezelverhaal over een kostschooldirectrice die met een vriendin haar echtgenoot vermoordt

✤ Jean de La Fontaine *Fables* (1668); de vos en de raaf, de kikkers en de ooievaar – allemaal debiteren ze hun wijze lessen in de bossen en de velden van de Champagne

✪ Marcel Proust *Du côté de chez Swann* (1913); een schrijver herinnert zich zomervakanties in Normandië en vertelt het verhaal over de hopeloze verliefdheid van zijn oma's buurman

◪ André Gide *La porte étroite* (1909); jong stel worstelt met verboden liefde en verstikkende religie

✿ Guy de Maupassant *Une vie* (1883); het trieste leven van een Normandische burgervrouw

⇕ Chrétien de Troyes *Erec et Enide* (eind 12de eeuw); ridderroman in versvorm over twee op de proef gestelde geliefden die uiteindelijk door koning Arthur worden gekroond

▲ Jean Paul Sartre *La nausée* (1938); verveelde intellectueel walgt van de wereld en vooral van de schijnheiligheid van de bourgeoisie

♥ Honoré de Balzac *Les Chouans* (1829); historische roman over een koningsgezinde opstand in het Bretagne van 1799

□ Goscinny & Uderzo *La zizanie* (1970), *Le domaine des dieux* (1971), *Le devin* (1972); de drie beste 'thuisavonturen' van de onoverwinnelijke Galliërs Astérix en Obélix

❖ Arnold Zweig *Der Streit um den Sergeanten Grischa* (1927); Russische sergeant valt aan het westelijk front ten prooi aan justitiële moord

Ik ga naar Parijs en ik neem mee...

Parijs was en is een literair feest. Het is niet moeilijk om aan ieder toeristisch hoogtepunt in de Lichtstad een toepasselijk boek te verbinden.

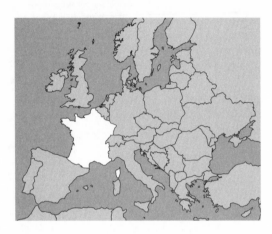

Literair-geografisch gesproken ligt Parijs tussen de Mer à Boire en de Embarras du Choix. Net als New York of Londen is de hoofdstad van Frankrijk altijd een literair centrum geweest en heeft het door de eeuwen heen tot de verbeelding van schrijvers en dichters gesproken. Renaissance-auteurs, classicisten, romantici, decadenten, naturalisten, symbolisten, modernisten, Forumianen, existentialisten, nouveaux romanciers en minimalisten – allemaal hebben ze de twintig arrondissementen en de omliggende gebieden vereeuwigd; of ze nu uit het buitenland of uit Frankrijk zelf kwamen. Parijs, dat is *oh la la* en *vie de bohème*, wapperende capes en zwarte coltruien, flaneren door het Luxembourg en dineren op de linkeroever.

Het is niet moeilijk om aan ieder toeristisch hoogtepunt in Parijs een toepasselijk boek te ver-

binden. Wie naar de Notre-Dame gaat, kan op het plein ervoor de eerste bladzijden van Hugo's verbazingwekkend fris gebleven 'Klokkenluider van de Notre-Dame' lezen. In het rosse licht van de Moulin Rouge doet een hoofdstukje Colette het goed, in de winkelcentra van de Hallen voert Zola je terug naar de negentiende eeuw, en in het Quartier Latin heeft de lezer-op-locatie de keus tussen Balzac, Beauvoir en Sartre, wiens trilogie *Les chemins de la liberté* (1945-1949) wegens plaatsgebrek niet eens op het kaartje hiernaast terecht is gekomen. Dat laatste geldt ook voor veel andere meesterwerken: *Nadja* van André Breton (Parijs door surrealistische ogen), *L'éducation sentimentale* van Gustave Flaubert (de negentiende-eeuwse revolutietijd), *Le petit prince de Belleville* van Calixte Beyala (de grauwe buitenwijken van de naoorlogse immigratie) en natuurlijk *Ik Jan Cremer*. Ernest Hemingway, die van 1921 tot 1927 op verschillende adressen tussen Seine en Montparnasse, woonde, doopte Parijs 'een verplaatsbaar feest'; toen in 1964 (postuum) zijn ode aan het Parijs van de jaren twintig verscheen, heette dat herinneringenboek *A Moveable Feast*. Voor Hemingway's vriend Ezra Pound, aanjager van de 'Lost Generation', was *Gay Paree* een 'ideeënlaboratorium'; en dankzij Hugo Claus en Remco Campert werd de stad in de jaren vijftig voor ontsnappingskunstenaars uit de Lage Landen een verplichte bestemming. Maar om optimaal van Parijs te genieten hoef je geen schrijver te zijn. Je moet eigenlijk alleen kunnen lezen.

★ Willem Elsschot *Villa des roses* (1913); tragikomische verwikkelingen in een pension met internationale gasten

✤ Colette *La vagabonde* (1911); autobiografische roman over het vrijgevochten leventje van een music-hallsterretje

♥ Alexandre Dumas-père *Les trois mousquetaires* (1844); drie 17de-eeuwse musketiers en hun leerling D'Artagnan nemen het op tegen de sluwe kardinaal Richelieu en de meedogenloze Milady De Winter

✪ Émile Zola *Le ventre de Paris* (1873); honger en overvloed tegen de achtergrond van de markthallen

◪ Henry Miller *Tropic of Cancer* (1934); seksueel expliciete herinneringen aan het leven als kunstenaar-bohémien

◐ Leon de Winter *La Place de la Bastille* (1981); joodse geschiedenisleraar gaat op zoek naar zijn in de oorlog gestorven tweelingbroertje

♛ Charles Dickens *A Tale of Two Cities* (1959); een naar Londen gevluchte Franse edelman keert terug naar het Parijs van de Terreur om een voormalige bediende van het schavot te redden

❄ Nelleke Noordervliet *Het oog van de engel* (1991); een zogenaamd helderziende Haarlemse wordt onderdeel van de Franse revolutie

▲ Patrick Modiano *La Place de l'étoile* (1968); ontwortelde jood probeert het leven van zijn ouders tijdens de Duitse bezetting te reconstrueren

↻ Marcel Proust *La côté de Guermantes* (1920-1921); in de salon van de hertogin De Guermantes wordt Marcel verliefd op de hertogin des huizes

✖ Ernest Hemingway *The Sun Also Rises* (1926, 'Fiesta'); het liefdesverhaal van een societyvrouw en een journalist met een oorlogstrauma geeft een ontluisterend portret van de 'Lost Generation' na de Eerste Wereldoorlog

■ Raymond Queneau *Zazie dans le métro* (1959); een eigenwijs provinciemeisje zwerft rond als toerist

✠ Victor Hugo *Notre-Dame de Paris* (1832); anno 1492 probeert de mismaakte klokkenluider van de kathedraal een zigeunerin op wie hij verliefd is, te redden van een corrupte priester

▢ Honoré de Balzac *Le père Goriot* (1834); in deze *King Lear*-variatie maken we kennis met de bewoners van een Parijs pension, onder wie een vader die door zijn dochters vernederd wordt

⦿ Simone de Beauvoir *Les mandarins* (1954); sleutelroman over linkse intellectuelen die na de Tweede Wereldoorlog hun ivoren toren verruilen voor de politieke strijd

◆ Jean Rhys *Quartet* (1928); een mooie vrouw zwerft na haar traumatische scheiding door het Montparnasse van de jaren 20

⊗ Charles Baudelaires 'Tableaux Parisiens' uit *Les fleurs du mal* (1857), waarin de stad wordt beschreven als een gotisch universum

↕ Willem Frederik Hermans *Au Pair* (1989); Nederlandse au pair wordt een pion in schimmige intriges

❖ Louis-Ferdinand Céline *Mort à crédit* (1934); deprimerend maar briljant gestileerd portret van een jeugd in armoedig Parijs

MONTMARTRE

SEINE

LES HALLES

LOUVRE

DÔME DES INVALIDES

SEINE

NOTRE DAME

QUARTIER LATIN

PLACE DE LA BASTILLE

JARDIN DU LUXEMBOURG

MONTPARNASSE

Voer voor bon-lisants

In Midden-Frankrijk heeft iedere streek zijn eigen lofzanger, van de Vendée tot de Savoie. De Sologne, boven Bourges, heeft de beste: Alain-Fournier, schrijver van één roman, *Le grand Meaulnes*.

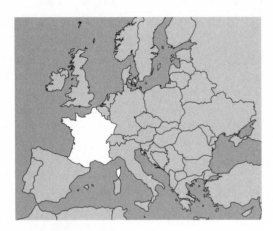

Zoals je Noord-Frankrijk literair associeert met loopgraven en industriële ellende (zie kaart 9) en Zuid-Frankrijk met mooi weer en verhitte emoties (kaart 12), zo kun je de literatuur over Midden-Frankrijk grofweg karakteriseren als landschapsverheerlijking. Sinds Honoré d'Urfé in de zeventiende eeuw een pastorale (*L'astrée*) in de Forez situeerde, hebben Franse schrijvers zich laten inspireren door de streken tussen Loire en Dordogne. Vaak keken ze in autobiografische romans al dan niet nostalgisch terug op het landschap van hun jeugd, of dat nu de Bourgogne was (Colette) of de Berry (George Sand). Eén streek, de Sologne, heeft zijn bekendheid zelfs grotendeels te danken aan een schrijver: Alain-Fournier (1886-1914), die een jaar vóór zijn dood (in de loopgraven bij Verdun) de eeuwige klassieker *Le grand Meaulnes* publiceerde.

Le grand Meaulnes, dat in Nederland is vertaald als *Het grote avontuur*, is het verhaal van de onderwijzerszoon Seurel die zijn leven lang geobsedeerd blijft door een jeugdvriend. Deze Meaulnes is als jongen verdwaald in de bossen rondom de rivier de Cher en heeft vervolgens tijdens een gemaskerd bal op een geheimzinnig kasteel een beeldschoon meisje ontmoet. Naar dit meisje blijft hij, geholpen door Seurel, lange tijd zoeken; maar als hij haar eindelijk gevonden heeft en met haar getrouwd is, laat hij haar weer in de steek. Seurel profiteert niet van de kans op levensgeluk die hem daarmee geboden wordt. Meer dan de vertrouweling van de (ex-)vrouw van zijn vriend wordt hij niet: 'Ik hield van haar met die diepe, stille vriendschap die onuitgesproken blijft.'

Le grand Meaulnes is een klassieke roman over een van de mooiste thema's uit de wereldliteratuur: het geluk dat je ontglipt op het moment dat je het eindelijk gevonden hebt. De enige positieve constante in een mensenleven, zo lijkt Alain-Fournier ons duidelijk te willen maken, is de schoonheid van de natuur, en die wordt dan ook overweldigend opgeroepen. Henri-Alban Fournier, zoals hij eigenlijk heette, was geboren in een dorpje bij de rivier de Cher, waarvan de oevers worden beschreven als een spectaculair landschapspark. Zelfs bij regen, die in dit deel van Midden-Frankrijk (net boven Bourges) veel valt, blijft de omgeving van het fictieve dorpje Sainte-Agathe majestueus. De 'kleine stukken groene weide', de 'grijze, steile, rotsige heuvels' en 'het heldere licht van de gehele vallei' ontlokken de hoofdpersoon van *Le grand Meaulnes* op een gegeven moment de verzuchting: 'Mijn hemel, wat was het mooi!' De toerist die in het voetspoor van Alain-Fournier naar de Sologne reist, kan dat een eeuw later nog steeds beamen.

★ Jean Rouaud *Les champs d'honneur* (1990); deel 1 van het autobiografische vijfluik over drie generaties in een fictief provinciestadje in de twintigste eeuw

■ Georges Simenon *Tante Jeanne* (1950); op de dag dat haar broer zich verhangt, komt een vrouw terug in het provinciegat dat ze ontvluchtte

◻ Colette *Claudine à l'école* (1900); eerste deel van de autobiografische Claudine-cyclus, over een beschermd opgevoed Bourgondisch meisje

⇕ Walter Scott *Quentin Durward* (1823); een jonge Schot beschermt een Bourgondische gravin tegen de gevaren van het 15de-eeuwse hertogdom Bourgondië

◑ Hella S. Haasse *Het woud der verwachting* (1949); ouderwets vertelde geromantiseerde biografie van de 15de-eeuwse dichterhertog Charles d'Orléans

◆ Alain-Fournier *Le grand Meaulnes* (1913); een kostschooljongen op zoek naar een mooi meisje uit een verloren paradijs

♛ Henri Vincenot *Le pape des escargots* (1972); historische roman die een bijna toeristische blik werpt op de twaalfde eeuw en het ontstaan van de Romaanse beeldhouwkunst

✗ Émile Zola *La terre* (1887); een oude boer verdeelt zijn bezit en wordt als King Lear door zijn eigen kinderen vernederd

▨ George Sand *La mare au diable* (1846); een jonge weduwnaar moet kiezen tussen een rijke vrouw en een arm meisje

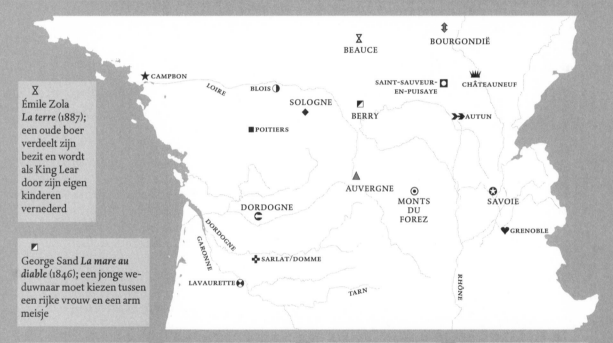

▲ Goscinny & Uderzo *Astérix et le bouclier Arvergne* (1968); twee Galliërs op zoek naar het ijzeren schild van de overwonnen vrijheidsheld Vercingetorix

✚ Michael Crichton *Timeline* (1999); een groep geleerden wordt kwantummechanisch 'teruggefaxt' naar de Dordogne tijdens de Honderdjarige Oorlog

◉ Honoré d'Urfé *L'astrée* (1627); avontuurlijke herdersroman over de streek tussen Lyon en Clermont-Ferrand in de (geïdealiseerde) vijfde eeuw

✪ John Berger *Pig Earth* (1979); gefictionaliseerde sociologie die het best omschreven kan worden als 'Hoe God verdween uit de Franse Alpen'

↻ Ronald Giphart *Ik ook van jou* (1992); twee studenten maken een zomerse kanotocht op zoek naar hoogstaande gedachten (en seks)

⊗ Sebastian Faulks *Charlotte Gray* (1998); een Engelse koerierster in Vichy-Frankrijk zoekt haar geliefde

≫ Tim Krabbé *Het gouden ei* (1984); een man brengt het hoogste offer om de verblijfplaats van zijn verdwenen vriendin te achterhalen

♥ Stendhal *Le rouge et le noir* (1830); ambitieuze timmermanszoon begint een noodlottige relatie met de vrouw van zijn werkgever

Veni, vidi, Midi

Zuid-Frankrijk is het thuisland van drie Nobelprijswinnaars, de overwinteringsplaats van Scott Fitzgerald en Graham Greene, en het reisdoel van vele andere schrijvers.

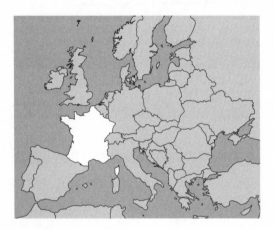

Drie Nobelprijswinnaars voor literatuur hadden hun wortels in het zuiden van Frankrijk; en alle drie gaven ze hun streek van herkomst een belangrijke plaats in hun boeken. De Provençaalse dichter Frédéric Mistral (1830-1914) deed dat het opvallendst; hij schreef zijn epen in het Occitaans, de 'langue d'oc', en maakte zich zijn hele leven sterk voor de taal en cultuur van de Provence. Maar ook de in Bordeaux geboren François Mauriac (1885-1970), die zich al op zijn twintigste in Parijs vestigde, situeerde bijna al zijn romans in het milieu dat hij van vroeger kende: dat van de grootgrondbezitters in Les Landes. Terwijl Claude Simon (1913) na een carrière in de nouveau roman – geen plot, geen psychologie, geen herkenbaar decor – in zijn latere boeken terugkeerde naar het Perpignan van zijn jeugd.

Zuid-Frankrijk heeft een groot aantal briljante 'streekromanciers' voortgebracht, onder wie Alphonse Daudet, Marcel Pagnol, en Jean Giono, die zelfs geëerd werd met de bijnaam 'de Faulk-

ner van de Midi'. Daarnaast is het gebied tussen Les Landes en de Côte d'Azur een favoriete locatie voor buitenlandse schrijvers, die misschien wel door een zonnige vakantie gestimuleerd werden tot het schrijven van een roman waarin de *luxe, calme et volupté* van de omgeving vaak in schril contrast stond met de tragiek en wreedheid van de gebeurtenissen. Neem *Tender Is the Night*, waarin F. Scott Fitzgerald de desintegratie van een expathuwelijk beschrijft; *Das Parfüm* van de Zwitser Patrick Süskind, over een geboren parfumier die zich ontpopt tot seriemoordenaar; of *Black Dogs* van Ian McEwan, met de angstaanjagende sleutelscène over twee honden die een pasgetrouwd stel aanvallen.

Vele buitenlandse schrijvers hebben zich laten inspireren door de voormalige Romeinse Provincia. Maar er is één dichter wiens hele leven er overhoop werd gegooid: de Italiaan Francesco Petrarca (1304-1374). Op 6 april 1327 zag hij in de Saite-Claire-kerk in Avignon (waar hij studeerde) het meisje dat hij de rest van zijn leven zou bezingen. Krijgen kon Petrarca deze 'Laura' niet: kort na hun ontmoeting trouwde zij met een Provençaalse edelman van wie ze elf kinderen kreeg. Het hinderde Petrarca's literaire productie niet. Integendeel, zelfs na haar dood (in 1348) bleef Petrarca haar vereren in zijn sonnetten, ballades en canzonen, die in 1470 werden gebundeld onder de titel *Il canzoniere*. Daarmee is 'Laura' het beroemdste literaire personage dat in Zuid-Frankrijk werd geboren. Zelfs Edmond Dantès, de hoofdpersoon van Dumas' vaak verfilmde *Comte de Monte-Cristo*, kan niet aan haar tippen.

★ François Mauriac *Thérèse Desqueyroux* (1927); roman van de Nobelprijswinnaar van 1952 over de gewetensnood van een vrouw die haar brute man vergiftigt

☾ Alphonse Daudet *Lettres de mon moulin* (1866); de oerversie van *A Year in Provence*: een Parijzenaar trekt zich terug en verzamelt (sterke) verhalen over de Provence en zijn bewoners

▢ Jean Giono *Le hussard sur le toit* (1951); roman van 'de Faulkner van de Midi' over een Italiaanse cavalerist die anno 1832 de Oostenrijkse bezetter het land uit probeert te krijgen

▲ Patrick Süskind *Das Parfüm* (1984); een 17de-eeuwer vermoordt meisjes om van hun geuren een parfum te maken

◑ Margriet de Moor *Eerst grijs dan wit dan blauw* (1991); een man vermoordt zijn vrouw omdat zij hem niet wil vertellen waarom ze voor twee jaar uit zijn leven is verdwenen

✗ Ian McEwan *Black Dogs* (1992); een man reconstrueert het trauma dat zijn schoonouders tijdens hun huwelijksreis opliepen met twee honden

♛ Graham Greene *Loser Takes All* (1977); accountant wordt op huwelijksreis naar Monte Carlo gestuurd, en verliest in het casino

⊙ F. Scott Fitzgerald *Tender is the Night* (1934); de teloorgang van een jonge Amerikaanse psychiater begint na zijn huwelijk met een mooie patiënte

DORDOGNE

GARONNE

TARN

RHÔNE

▢ MANOSQUE

LES LANDES ★

✗ LE VIGAN

PROVENCE

TARASCON ☾

♛ MONACO

GRASSE ▲

CÉVENNES

◑

AUBAGNE ◆ MAILLANE

✠ AIX-EN-PROVENCE

⊙ CAP D'ANTIBES

☯ MARSEILLE

↕ FRÉJUS

PYRENEEËN

MONTSÉGUR ♥

PERPIGNAN ▨

Claude Simon *Le tramway* (2001); een zieke oude man droomt terug naar zijn jeugd in een Zuid-Franse badplaats

◆ Marcel Pagnol *Jean de Florette* (1963) en *Manon des sources* (1952); tweeluik over een boer die een hak gezet wordt door zijn buren – en over zijn dochter die jaren later wraak neemt

☯ Alexandre Dumas-père *Le comte de Monte-Cristo* (1845); een onschuldig gevangengezette zeeman neemt na jaren wraak op de boeven die zijn leven verwoestten

↕ Françoise Sagan *Bonjour tristesse* (1954); verveelde tiener drijft de vriendin van haar vader de dood in omdat ze haar luxe leventje bedreigd ziet

✠ Émile Zola *La fortune des Rougon* (1871); eerste deel van de 20-delige Rougon-Macquart-cyclus, over een familie tijdens het Tweede Keizerrijk

✚ Hans den Hartog Jager *Zelf God worden* (2003); een galeriehouder wordt in de val gelokt door een kunstenaar die hij mateloos bewondert – of is het omgekeerd?

❂ Frédéric Mistral *Mirèio* (1859); episch gedicht over liefde en landschap van de Provençaals schrijvende Nobelprijswinnaar van 1904

♥ Hanny Alders *De volmaakte ketter* (1999); liefde ten tijde van de kruistocht tegen de katharen, begin 13de eeuw

CORSICA

✤ ✗

✤ Goscinny & Uderzo *Astérix en Corse* (1973); de onoverwinnelijke Galliërs brengen een krijgsgevangene terug naar zijn vaderland

✗ De Corsicaanse verhalen van Guy de Maupassant (1850-1893)

¡Olé autor!

**De Spaanse Burgeroorlog was in hoge mate een schrijversoorlog.
Met grote gevolgen voor de twintigste-eeuwse literatuur, die zich
concentreert op de strijd tussen republikeinen en nationalisten.**

Wie met zevenmijlslaarzen door de Spaanse literatuurgeschiedenis wandelt, passeert eerst het anonieme heldendicht *Poema de mío Cid*, vervolgens Cervantes' *Don Quichot van La Mancha*, en uiteindelijk de grote negentiende-eeuwse romans van de Spaanse Flaubert Clarín (Leopoldo Alas) en de Spaanse Balzac Benito Pérez Galdós. De stap daarna is misschien wel de ingrijpendste gebeurtenis in de Spaanse letterkunde: de burgeroorlog die van 1936 tot 1939 woedde tussen republikeinen en nationalisten. Niet alleen Spaanse schrijvers zouden de rest van de eeuw nodig hebben om de oorlog en de daaropvolgende stagnatie (plus censuur) onder generaal Franco te verwerken, ook talloze buitenlandse auteurs reflecteerden in hun werk op de gruwelen van het front en de standrechtelijke executies achter de linies.

De Spaanse Burgeroorlog was in hoge mate een schrijversoorlog. De op het oog zo simpele strijd tussen *good guys* (linkse republikeinen) en *bad guys* (priesters en fascisten) oefende een onweerstaanbare aantrekkingskracht uit op socialistisch geëngageerde dichters en romanciers uit Duitsland (Regler, Renn), Frankrijk (Aragon, Malraux, Simon), Groot-Brittannië (Auden, Orwell, Spender) en Amerika (Hemingway, Dos Passos). Hun deelname aan de oorlog (als soldaat, als journalist, als ambulancerijder) leverde een aantal wereldberoemde boeken op – de meeste non-fictie, zoals *Homage to Catalonia* (1938) waarin George Orwell de kinnesinne en het verraad binnen de republikeinse coalitie blootlegde. Orwell raakte trouwens zwaar gewond aan het Aragón-front; het had weinig gescheeld of twee van de beroemdste romans over het totalitarisme, *Animal Farm* (1945) en *Nineteen Eighty-Four* (1949), waren in Catalonië gesneuveld.

De horror van de Burgeroorlog verdreef in het literair bewustzijn die andere fictiegenieke gruwel uit het verleden: de Spaanse Inquisitie, aan het eind van de vijftiende eeuw groot gemaakt door Tomás de Torquemada en halverwege de negentiende eeuw literair vereeuwigd door Edgar Allan Poe. In 1937 wijdde S.Vestdijk er nog een roman aan, *Het vijfde zegel* – een laatste oprisping van de angst die de kerkelijke geloofsrechtbank eeuwenlang had ingeboezemd. Spaanse én buitenlandse schrijvers schreven voortaan direct (Rodoreda, Muñoz Molina) of indirect (Cela, Pelgrom) over de Burgeroorlog. De Inquisitie werd een bijna nostalgische herinnering, waarom je zelfs kon lachen: zo maakten de televisiekomieken van Monty Python nog een beroemde sketch – *(Nobody Expects) The Spanish Inquisition* – waarin een warrige grootinquisiteur een Engelse arbeider probeert te intimideren met geheime wapens als het 'zachte kussen' en de 'luie stoel'.

Graham Greene *Monsignor Quixote* (1982); *road novel* over een priester en een overtuigde communist in postfranquistisch Spanje

Bernardo Atxaga *Obabakoak* (1988); verhalen over een Baskisch dorp, gerepresenteerd door een postmoderne verteller

Anoniem *La Chanson de Roland* (ca 1100); Oud-frans epos over een held-haftige vazal van Karel de Grote

Mercè Rodoreda *Colometa* (1962); een moeder houdt zich staande in tijden van burgeroorlog

Manuel Rivas *In wild gezel-schap* (1984); magisch-realis-tische roman in het Galicisch over ongelukkig huwelijk van een plattelandsechtpaar

Clarín (ps. van Leopoldo Alas) *La regenta* (1884-1885); realistische roman over een driehoeksverhouding in een slaperige provinciestad

Eduardo Mendoza *Stad der wonderen* (1986); een arme sloeber wordt miljonair ten tijde van de modernisering van Barcelona

Ernest Hemingway *For Whom the Bell Tolls* (1940); een Amerikaanse held sterft voor de republikeinse vrij-heid en zijn Spaanse meisje bij Segovia

David Lodge *Therapy* (1995); een sitcom-scena-rist in een midlife-crisis gaat op wan-delbedevaart en valt opnieuw voor zijn jeugdliefde

Anoniem *Poema de mío Cid* (ca 1140); (liefdes)avon-turen van een legendari-sche ridder

Matthew Lewis *The Monk* (1796); gothic novel over seks en geweld in een Ma-drileens kapucijner klooster

Benito Pérez Galdós *Fortunata en Jacinta* (1886-1887); een volksmeisje, haar minnaar en diens wettige echtgenote

Felipe Alfau *Locos, een geba-renkomedie* (1936); bizarre verhalen van een vroege meester van het leesbare postmodernisme

Simon Vestdijk *Het vijfde zegel* (1937); de schilder El Greco botst met de inquisitie in 17de-eeuws Toledo

Miguel de Cervantes Saavedra *Don Quichot* (1605-1615); een don wordt gek van het vele lezen en trekt als dolende ridder met zijn knecht de wereld in

Camilo José Cela *De familie van Pascual Duarte* (1942); de fictieve memoires van een ter dood veroordeelde boer die na een liefdeloos le-ven onder meer zijn moeder vermoordt

Edgar Allan Poe *'The Pit and the Pendulum'* (1843); een man onstnapt op het nippertje aan de sadistische martelpraktijken van de Inquisitie

Federico García Lorca *Bloedbruiloft* (1933); poëtisch drama over overspel en wraak; eerste deel van een trilogie

António Muñoz Molina *Beatus Ille* (1986); fami-lietragedie annex speur-dersroman over (een manuscript van) een in de Burger-oorlog ge-sneuvelde dichter

Els Pelgrom *De eikelvreters* (1990); een man kijkt terug op zijn arme jeugd in het Spanje van na de Burgeroorlog

Arturo Pérez-Reverte *Het trommelvel* (1994); een agent van het Vaticaan onder-zoekt de geheimzinnige gebeurtenissen rond een met sloop bedreigde kerk

OVIEDO
BASKENLAND
SANTIAGO DE COMPOSTELA
RONCESVALLES
GALICIË
BARCELONA
ARAGÓN
SEGOVIA
MADRID
TOLEDO
VALENCIA
LA MANCHA
EXTREMADURA
ÚBEDA
ANDALUSIË
SEVILLA
SIERRA NEVADA

De pen gedoopt in Portugal

'Saudade' heet het: het verdriet om wat er niet meer is en
de liefde voor wat je niet kunt bereiken. In de Portugese cultuur
beperkt melancholie zich niet tot muziek.

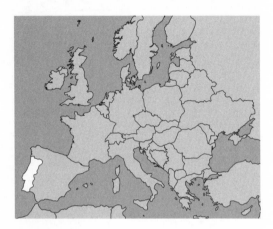

'De Schone Slaapster aan de rand van de Europese cultuur'. Zo werd Portugal halverwege de jaren negentig genoemd door de essayist Eduardo Lourenço. De cultuur en literatuur van het zuidwesten van het Iberisch schiereiland waren volgens hem grotendeels onontdekt, en wachtten op het moment dat ze werden wakker gekust. Dat laatste gebeurde met een klapzoen in 1998, toen de Nobelprijs voor literatuur werd toegekend aan de 75-jarige José Saramago. Niet alleen *zijn* naam ging de wereld over, maar ook die van de twintig jaar jongere António Lobo Antunes, die naar verluidt nummer twee was geweest op de shortlist van het Nobelprijscomité.

Saramago schrijft historische romans die spotten met het genre; zo biedt *Het memoriaal van het klooster* (1982) een filosofische kijk op het achttiende-eeuwse Lissabon. Lobo Antunes is meer geïnteresseerd in de recente geschiedenis, en

vooral in de koloniale oorlog in Angola, die in drie van zijn romans een belangrijke rol speelt. In al hun boeken worstelen de personages met het verleden, iets wat wordt gezien als een kenmerk van de meeste moderne Portugese literatuur. Portugal is een land met een grootse geschiedenis, die al in de zestiende eeuw bezongen werd in het nationale epos *Os Lusíadas* ('De Lusitaniërs', de bewoners van de vroegere Romeinse provincie Lusitania). Maar in de negentiende eeuw sukkelde het land in slaap, om daarna in lethargie te verzinken. Pas met de val van de dictatuur van Salazar (1928-1968), en de beëindiging van de oorlog in Angola (1974, na de 'Anjerrevolutie'), kon Portugal zich langzaam weer op de toekomst richten. Maar de herinnering aan de oude glorie bleef, en wordt levend gehouden in de romans van José Cardoso Pires, Lídia Jorge en Almeida Faria.

'Saudade' wordt het genoemd, het verdriet om wat er niet meer is en de liefde voor wat je niet kunt bereiken. In de muziek komt het tot uitdrukking in de fado; in de twintigste-eeuwse Portugese literatuur resulteerde het zelfs in een stroming, het *saudosismo*. Maar ook op buitenlandse schrijvers oefende het grote aantrekkingskracht uit, of ze nu Erich Maria Remarque heeten of Jan Jacob Slauerhoff. Het was dan ook logisch dat Cees Nooteboom *Het volgende verhaal*, zijn Boekenweekgeschenk over een man met een onontkoombaar verleden, voor het grootste deel liet plaatsvinden in melancholiek Lissabon.

★ Gerrit Komrij *Over de bergen* (1990); een stadse Portugees probeert in een bergdorpje vergeefs zijn bestemming te vinden

■ Miguel Torga *Verhalen uit de bergen* (1941); cloudloze verhalen over de uitzichtloosheid en de nietigheid van het leven

❖ José Saramago *Het beleg van Lissabon* (1989); tragikomedie over een moderne drukproefcorrector die de geschiedenis van een twaalfde-eeuws bloedbad verandert om indruk te maken op zijn cheffin

▲ José Cardoso Pires *De kroonprins* (1968); de nadagen van de Portugese landadel

◆ J. Rentes de Carvalho *De Hollandse minnares* (2000); twee mannen in een bergplaatsje hunkeren naar een beter leven

✖ Antonio Tabucchi *Pereira verklaart* (1994); een krantenredacteur begint zichzelf vragen te stellen over het leven in een dictatuur

⦿ José Maria Eça de Queiroz *Neef Bazilio* (1878); een overspeldrama is de basis voor een vernietigend beeld van de ingeslapen Portugese burgerij

❊ Erich Maria Remarque *Die Nacht von Lissabon* (1962); een oorlogsvluchteling komt in contact met een man die zijn ontsnapping uit Europa kan bewerkstelligen

☓ Luís Vaz de Camões *Os Lusíadas* (1572); de bezongen heldendaden van het Portugese volk – van de mythische Luso tot de ontdekkingsreiziger Vasco da Gama

◪ Fernando Pessoa *Gedichten* (1980); bloemlezing door August Willemsen van de poëzie van de twintigste-eeuwse symbolist

BRAGANÇA ◆

TRÁS-OS-MONTES
★ ■

COVILHÁ ▲

☓
◪
◐ TAAG
LISSABON

❂ ALENTEJO

ALBUFEIRA ☾

≫ Richard Zimler *The Last Kabbalist of Lisbon* (1999); een joodse kabbalist onderzoekt de moord op zijn oom tijdens de grote pogrom van 1506

LISSABON

❖ ❊ ⦿ ≫ ✖ □ ♛ ♥ ⇕
TAAG

◐ António Lobo Antunes *Het handboek van de inquisiteurs* (1996); vijf indirect met de dictator Salazar verbonden personages schetsen een familiegeschiedenis in het Portugal van na de jaren vijftig

❂ Almeida Faria *Passie* (1965); veelstemmig beeld van een grootgrondbezittersfamilie op een Goede Vrijdag in de jaren zestig

□ Lord Byron *Childe Harold's Pilgrimage* (1812); het eerste Canto van dit beroemde epische reisgedicht beschrijft het verblijf van Jonker Harold in Portugal

♛ Voltaire *Candide, ou l'optimisme* (1759); in deze filosofische (antioptimistische) novelle maakt de titelheld een (gedwongen) wereldreis die hem onzacht in aanraking brengt met onder meer een verwoestende aardbeving in Lissabon

☾ Lídia Jorge *De dag der wonderen* (1980); de Anjerrevolutie van 1974 dringt mondjesmaat door tot een klein dorpje

♥ J. Slauerhoff *Het verboden rijk* (1932); roman over de ontdekkingsreiziger Camões van de auteur die Portugal ook vereeuwigde in gedichten als 'Lisboa', 'Aankomst' en 'Fado'

⇕ Cees Nooteboom *Het volgende verhaal* (1991); een overleden gymnasiumdocent maakt een reis naar de onderwereld

Un Po' di letteratura

Het Milaan van Manzoni, het Ferrara van Bassani, het Venetië van Casanova – al deze literaire bedevaartsoorden bevinden zich tussen de Alpen en de Apennijnen, waar de Po traag door oneindig laagland gaat.

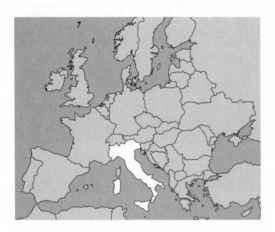

In de thematische *Atlas of Literature* (2001) van de Engelse literatuurwetenschapper Malcolm Bradbury hebben vele wereldsteden een aparte behandeling gekregen. Sommige literaire *lieux de mémoire* werden bedeeld met verschillende hoofdstukken, zoals New York, Parijs ('Paris of the French Romantics', 'Paris as Bohemia', 'Paris in the Twenties', 'Existentialist Paris') en natuurlijk Londen, dat in maar liefst zeven artikelen werd besproken. Heel wat bekaaider kwamen de Italiaanse steden ervan af: niet alleen Florence en Milaan worden nauwelijks behandeld, ook Rome en Venetië. De hele Italiaanse literatuur is samengebracht in het hoofdstuk 'Post-war Italian Fiction'.

In het geval van Venetië is dat een vreemde beslissing. Het Amsterdam van het Zuiden was al een monument van de literaire verbeelding toen William Shakespeare er zijn tragedie *Othello* situeerde. Als symbool van grandeur en later van decadentie speelde het een hoofdrol in boeken van Giacomo Casanova, Henry James en Thomas Mann. Maar omdat Venetië cachet geeft aan ieder verhaal over welgestelde reizigers en mannen van de wereld, duiken de *canali* en *palazzi* ook op in meesterwerken van de wereldliteratuur die zich grotendeels elders afspelen: 'À la recherche du temps perdu' van Proust, *Brideshead Revisited* van Evelyn Waugh, de Ripley-cyclus van Patricia Highsmith, *De onzichtbare steden* van Italo Calvino.

Het beeld van Venetië in de literatuur is dat van een vervallen toeristenstad waar de dreiging op de loer ligt – een besmettelijke ziekte in Manns *Tod in Venedig*, een moordzuchtige dwerg in Daphne Du Mauriers korte verhaal 'Don't Look Now' (1970), een psychopaat in *Cara Massimina* (1990) van de Italiaanse Engelsman Tim Parks. Het internationale succes van de thrillerserie van Donna Leon, over de Venetiaanse politiecommissaris Brunetti, is ongetwijfeld deels te danken aan het vermogen van de schrijfster om in te spelen op het sinistere imago van de stad.

De fictie over Venetië zal het toerisme naar de lagune niet bevorderen. Maar er zijn genoeg andere plaatsen in Noord-Italië die profiteren van het feit dat grote schrijvers zich erdoor lieten inspireren. De heuvels van de Langhe in Piemonte bijvoorbeeld, die in de romans van de verder zo pessimistische Cesare Pavese het symbool zijn van een gelukkige kindertijd. Triëst, de woonplaats van de modderende romanheld Zeno uit de beroemdste roman van Italo Svevo. En natuurlijk Ferrara, de stad die door Giorgio Bassani in zo veel romans vereeuwigd werd dat zijn uitgever ze bij elkaar kon zetten in één dik boek met de titel *Het verhaal van Ferrara*.

★ Italo Calvino *Marcovaldo* (1963); filosofisch-absurdistische verhalen over een naïeve arbeider die de natuur zoekt in de grote stad

✤ Ernest Hemingway *A Farewell to Arms* (1929); een Amerikaanse ambulancerijder raakt gewond (in WO I) en wordt verliefd (op zijn verpleegster)

⇕ Stendhal *La chartreuse de Parme* (1839); politieke en amoureuze avonturen van een jongen in de postnapoleontische chaos

◆ Rainer Maria Rilke *Duineser Elegien* (1922); filosofische gedichten over tijd, dood en kunst

◩ Natalia Ginzburg *Al onze gisterens* (1952); het reilen en zeilen van twee families onder het fascisme door de ogen van een 16-jarig meisje

◪ Alessandro Manzoni *De verloofden* (1825-1827); epische historische roman over de Spaanse overheersing van het hertogdom Milaan

✪ Italo Svevo *Bekentenissen van Zeno* (1923); een zakenman boekstaaft op verzoek van zijn psychiater hoe hij door zijn leven is heengerommeld

■ Arthur Japin *Een schitterend gebrek* (2003); de eerste, getraumatiseerde geliefde van Casanova vertelt haar levensverhaal

TRENTINO ALTO ADIGE

PIAVE

FRIULI-VENEZIA GIULIA

PIEMONTE

◪✤ MILAAN

VENETO

■

◆ DUINO

MONFERRATO

LOMBARDIJE

TRIEST

TURIJN ◩★

PO

VENETIË

SANTO STEFANO BELBO ◉

BOBBIO ▲

⇕ PARMA

☾ FERRARA

☾ Giorgio Bassani *De tuin van de Finzi-Contini's* (1962); een joodse jongen herinnert zich de paradijselijke tijd voordat het leven onmogelijk werd door de fascistische rassenwetten

✇ Cesare Pavese *De maan en het vuur* (1950); een emigrant keert na twintig jaar terug in zijn geboortedorp

❖ Rosetta Loy *Wegen van stof* (1989); familiekroniek over drie generaties boeren in de 19de eeuw

▲ Umberto Eco *De naam van de roos* (1980); monnik-speurder lost geheimzinnige seriemoord rond een kloosterbibliotheek op

⚔ Ian McEwan *The Comfort of Strangers* (1981); twee geliefden die op elkaar uitgekeken zijn, lopen in de valstrik van een louche figuur

♥ William Shakespeare *Othello* (1604); de 'Moor van Venetië' laat zich door zijn snode luitenant verleiden tot moord op zijn vermeend ontrouwe vrouw

VENETIË

⚔ LA FENICE
♦ DOGENPALEIS
♛ SAN MARCOPLEIN
◉ CANAL GRANDE

◑

✺ Donna Leon *Death at La Fenice* (1992); eerste van een reeks sfeervolle speurdersromans; commissaris Brunetti onderzoekt een sterfgeval in de opera

◉ Henry James *The Aspern Papers* (1888); een biograaf in spe probeert vergeefs de nalatenschap van een dichter bij diens weduwe los te krijgen

♛ Patricia Highsmith *The Talented Mr Ripley* (1955); amorele Amerikaan pleegt moord op rijke landgenoot en slaagt erin diens identiteit over te nemen

◑ Thomas Mann *Der Tod in Venedig* (1911); verlopen schrijver verliest (en vindt) zich in de liefde voor een mooie jongen

Eerst Napels zien en dan lezen

Citroenen zijn niet de enige dingen die bloeien in het Italië bezuiden Florence. Gewelddadigheden doen het ook goed, vooral als ze ingebed zijn in literatuur.

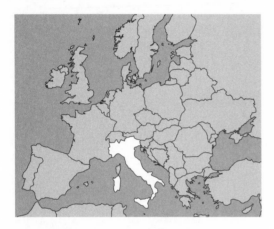

Uit de Italiaanse romans van E.M. Forster (*Where Angels Fear to Tread*, 1905; *A Room with a View*, 1908) komt Toscane te voorschijn als een ongecompliceerd paradijs, vol liefde en directheid – de perfecte spiegel voor het emotioneel verstikkende Groot-Brittannië onder koning Edward VII. Forsters beeld van Midden-Italië zou je een voorafschaduwing kunnen noemen van de vele non-fictieboeken over zonnige vakantiehuisjes en bezonnebloemde heuvellandschappen die de afgelopen jaren op de markt zijn verschenen – met titels als *My Time in Tuscany*, *Living in Lazio*, *No Umbrellas in Umbria*.

Maar uit de meeste literaire fictie rijst een ander beeld op van het stamland van de Etrusken en Romeinen, de bakermat van de Renaissance en de wieg van Dante en Boccaccio: dat van een godverlaten streek waar geheimzinnige sterfgevallen welig tieren. Talloze (amateur-)detectives vinden er emplooi, of het nu de vijftiende-eeuwse hoofdpersoon van *De phoenix* van Paul Claes is, of de uit Perugia afkomstige Aurelio Zen uit de thrillers van Michael Dibdin. En wat te denken van Lapo Mosca, de door Helene Nolthenius op de wereld gezette franciscaner monnik, die als een kruising tussen Columbo (rondsnuffelen en argeloze vragen stellen) en Philip Marlowe (grossieren in sterke oneliners) rondloopt tussen de middeleeuwse cultuurstadjes.

Meer naar het zuiden ligt – in de woorden van Johann Wolfgang von Goethe – het land *'wo die Zitronen blühen'*. Geen broedplaats van grote schrijvers; hoewel de uit Turijn verbannen antifascist Carlo Levi er geïnspireerd werd tot *Christus kwam niet verder dan Eboli* (1949), een neorealistische collage van verhalen en antropologische beschouwingen over een nog niet gemoderniseerd dorpje. Maar sinds Goethe is de 'Mezzogiorno' gelukkig wél populair bij buitenlanders, die er van tijd tot tijd een literair werk laten spelen. De pionier was de toneelschrijver John Webster, die in zijn wraaktragedie *The Duchess of Malfi* (1612) de Amalfitaanse kust onder Napels beschreef als de hel op aarde. Hij werd nagevolgd door Horace Walpole (*The Castle of Otranto*) en de oorlogschroniqueurs Curzio Malaparte (*Kaputt*, *De huid*) en Joseph Heller, die voor zijn Tweede Wereldoorlog-satire *Catch-22* (1961) een Tyrrheens eilandje als hoofdlocatie koos. Margriet de Moor, die met *De virtuoos* een Napels-boek schreef, hield het geweld beperkt – hoewel haar boek over het leven van een castraatzanger één scène bevat die de mannelijke lezer het liefst niet was tegengekomen.

♣ Louis Couperus *Aan de weg der vreugde* (1906); een vrouw van het Noorden beleeft clandestiene passie met een legerarts uit het Zuiden

▲ Michael Ondaatje *The English Patient* (1992); in een villa annex ziekenhuis komen aan het eind van WO II vier ontheemde figuren samen – onder wie een zwaar verbrande patiënt met een dramatisch liefdesverleden

◆ George Eliot *Romola* (1862-1873); laatste roman van de schrijfster van *Middlemarch* is gesitueerd in de 15de eeuw, met bijrollen voor Machiavelli en de op de brandstapel gezette boeteprediker Savonarola

❻ Paul Claes *De phoenix* (1998); het leven van de 15de-eeuwse denker Pico della Mirandola herschreven als een speurdersroman gedrenkt in renaissancesymboliek

★ E.M. Forster *Where Angels Fear to Tread* (1905); de gedoemde pogingen van een Engelse familie om in San Gimignano een interculturele liefde te verhinderen

✚ BAGNI DI LUCCA
FLORENCE ℃ ▲ FIESOLE
❻ ◆
★ SAN GIMIGNANO
TOSCANE
◪
♥ PERUGIA
⬍ BOMARZO
✪ TARQUINIA
✠ TIVOLI
ROME
(ZIE KAART 17)
PUGLIA ❀
◻ ◉
PROCIDA ✖ ♦ NAPELS
POZZUOLI ♛ ◔ POMPEJI
BRINDISI ■
➤➤ OTRANTO

◪ Helene Nolthenius *Geen been om op te staan* (1977); eerste roman over Lapo Mosca, een bedelmonnik die als detective liefhebbert in de 14de eeuw

♥ Michael Dibdin *Ratking* (1988); eerste optreden van politiecommissaris Aurelio Zen, Maigret in Perugia

℃ Giovanni Boccaccio *Decamerone* (1349-1353); terwijl de pest woedt, vertellen zeven vrouwen en drie mannen elkaar op een afgesloten landgoed elk tien verhalen over het dagelijks leven

⬍ Manuel Mujica Lainez *Bomarzo* (1962); roman over de renaissancevorst Vicino Orsini, de gebochelde schepper van een beeldentuin vol monsters. Lees ook: Hella S. Haasse *De tuinen van Bomarzo* (1968), dat behalve roman ook cultuurhistorisch essay is

✪ Rosita Steenbeek *Schimmenrijk* (1999); een vrouw onderzoekt de plotselinge dood van haar geliefde te midden van de grafrovers in modern Etrurië

◻ Margriet de Moor *De virtuoos* (1993); een 18de-eeuwse Italiaanse aristocrate wordt verliefd op een castraatzanger

✖ Elsa Morante *Het eiland van Arturo* (1957); een jongen die zonder ouders op een eiland (Procida) is opgegroeid, wordt geconfronteerd met een jonge stiefmoeder

❀ Niccolò Ammaniti *Ik ben niet bang* (2000); een jongetje uit Puglia ontdekt het kwaad in de wereld als hij op een leeftijdgenoot in een onderaardse put stuit

✠ Marguerite Yourcenar *Mémoires d'Hadrien* (1951); de stervende Romeinse keizer Hadrianus boekstaaft in een brief aan zijn opvolger zijn leven en vooral zijn liefde voor de schone Antinoös

❖ Curzio Malaparte *De huid* (1949); autobiografische roman over de verhouding tussen de Napolitanen en hun Amerikaanse 'bevrijders' in 1943

◉ Susan Sontag *The Volcano Lover* (1993); postmoderne roman over de achttiende-eeuwse diplomaat en kunstliefhebber William Hamilton

■ Hermann Broch *Der Tod des Vergil* (1945); lyrisch-modernistisch meesterwerk over de dichter Vergilius die in zijn laatste uren te Brindisi nadenkt en discussieert over kunst en totalitarisme

♛ Petronius *Satyricon* (ca 60 n.Chr.); *Odyssee*-parodie in proza over een jongen die wordt achtervolgd door de wrok van de seksgod Priapus

➤➤ Horace Walpole *The Castle of Otranto* (1765); eerste 'gotische' roman speelt zich af op een kasteel dat geesten, reuzen en levende standbeelden herbergt

◑ Robert Harris *Pompeii* (2003); leerzame thriller over een Romeinse watermanager die AD 79 belaagd wordt door corrupte rijkaards en de verwoestende natuur

Roman holiday

De Eeuwige Stad is al eeuwenlang het decor van gedichten, romans en verhalen. Het is vooral het Rome van de Caesaren dat tot de verbeelding spreekt.

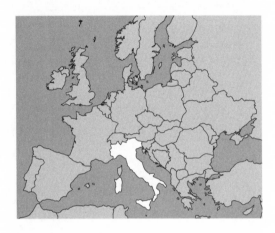

'Zolang het Colosseum staat, staat Rome,' luidde een middeleeuwse wijsheid, 'en zolang Rome staat, staat de wereld.' Daar kan aan worden toegevoegd: zolang Rome staat, zijn er schrijvers die zich door Rome laten inspireren.

Fictie waarin de monumenten van de Eeuwige Stad het decor vormen, is al zo oud als de weg naar Kralingen. Je hoeft alleen maar te denken aan de oden van Horatius, de epigrammen van Martialis en de satires van Juvenalis – poëzie die onlosmakelijk verbonden is met het dagelijks leven in de centrale metropool van het Romeinse Rijk. Maar de grote stroom van Rome-literatuur volgde in het kielzog van het vroege, negentiende-eeuwse toerisme. Alexandre Dumas-père maakte het Rome van koning-paus Pius VII tot een van de steden waar 'de graaf van Monte-Cristo' zijn uitgestelde wraak voorbereidt. De Amerikaan Nathaniel Hawthorne publiceerde in 1860 *The Marble Faun*, waarin een klassiek beeldje – nog steeds te zien in het Capitolijns Museum – een symbolische rol speelt. Zijn bewonderaar

Henry James liet achttien jaar later zijn heldin Daisy Miller wandelen door de Pincio-tuinen, waarna ze ellendig aan haar einde komt als gevolg van een nachtelijk bezoek aan het Colosseum, toen nog een broedplaats van besmettelijke ziektes.

Het Colosseum is vanzelfsprekend ook het middelpunt van Henryk Sienkiewicz' *Quo vadis?*, een van de eerste grote romans waarin het klassieke Rome (in dit geval dat van keizer Nero en de eerste christenvervolgingen) wordt gereconstrueerd. Er zouden er nog vele volgen, vooral na het commerciële én artistieke succes van I, *Claudius*, de gefictionaliseerde schandaalkroniek die Robert Graves in de jaren dertig schreef over de perverse keizers van het Julisch-Claudische huis (27 v. Chr.-68 n. Chr.). Een van de recentste beoefenaars van de zogenaamde togaroman is de Amerikaan Steven Saylor, die een reeks thrillers publiceerde over Gordianus, een privé-detective in de tijd van Caesar en Cicero.

Rome heeft meer slechte heersers gehad dan de Caesaren. De pausen, en niet alleen die uit de familie Borgia, hebben evenveel inkt als bloed doen vloeien. En wat te denken van Mussolini, zonder wiens dictatuur grote werken van Alberto Moravia als *De vrouw van Rome* en *De conformist* (1951, over een homoseksueel onder het fascisme) niet geschreven zouden zijn? Of Giulio Andreotti, de van mafiabanden verdachte ex-premier die een rol speelt in *Destiny* van Tim Parks? Met zijn vermenging van meedogenloosheid en bonhomie is Andreotti volgens Parks' hoofdpersoon de belichaming van het 'Latijnse raadsel' dat de Italianen ook na jaren van Europese Unie zal scheiden van de volkeren in het Noorden.

★ Elsa Morante *De geschiedenis* (1974); autobiografische roman van Moravia's eerste vrouw over de Tweede Wereldoorlog

◩ Theun de Vries *Het motet van de kardinaal* (1960); een laaglandse musicus botst in vijftiende-eeuws Rome met de verdorven macht van de Borgia's

♣ Luigi Malerba *De maskers* (1989); intriges in zestiende-eeuws Rome wanneer daar de hervormingsgezinde Nederlandse paus Adrianus gekozen wordt

⊖ Monaldi & Sorti *Imprimatur* (2002); een geheim agent in dienst van Lodewijk XIV vecht tegen de pest en tegen een geheimzinnige moordenaar

▣ Oek de Jong *Cirkel in het gras* (1985); intellectualistische liefdesroman speelt zich af in de jaren zeventig van de Rode Brigades

✿ Alberto Moravia *De vrouw van Rome* (1947); een prostituee houdt het met een radicale student en een fascistische bureaucraat

▲ Henry James *Daisy Miller* (1878); spontane Amerikaanse wordt het slachtoffer van de bekrompenheid van haar negentiende-eeuwse landgenoten

◆ Tim Parks *Destiny* (1999); een gefrustreerde en met zijn huwelijk modderende schrijver-journalist beleeft een midlifecrisis met de kracht van een vulkaanuitbarsting

■ Bas Heijne *Laatste woorden* (1983); satire over een schrijver die te gronde gaat in de Eeuwige Stad

℃ Thornton Wilder *The Ides of March* (1948); briefroman over een groep Romeinen ten tijde van de moord op Julius Caesar

Ⅹ Adelheid van Beuningen *Terentia* (1999); de burgeroorlogen in de late Romeinse republiek door de ogen van de vrouw van politicus-redenaar Cicero

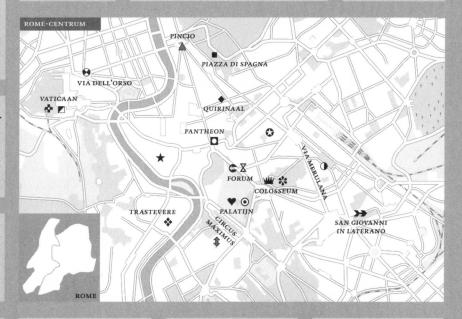

ROME-CENTRUM

PINCIO
PIAZZA DI SPAGNA
VIA DELL'ORSO
VATICAAN
QUIRINAAL
PANTHEON
VIA MERULANA
FORUM
COLOSSEUM
TRASTEVERE
PALATIJN
SAN GIOVANNI IN LATERANO
CIRCUS MAXIMUS
ROME

❖ Nathaniel Hawthorne *The Marble Faun* (1860); een Amerikaanse studente heeft een schimmig verleden en een heetgebakerde Italiaanse minnaar

◉ Robert Graves *I, Claudius* (1934); roddel en achterklap, moord en machinaties in de 'memoires' van de snotterende, hinkende Romeinse keizer tussen Caligula en Nero

♛ Henryk Sienkiewicz *Quo vadis?* (1896); enigszins gedateerd melodrama over de vroege christenen en de wrede keizer Nero

◑ Carlo Emilio Gadda *Die gore klerezooi in de via Merulana* (1957); een politie-inspecteur onderzoekt een moord in een appartementencomplex, en dwaalt af

↕ Goscinny & Uderzo *Astérix et les lauriers de César* (1972); bluf van het stamhoofd dwingt twee dappere Galliërs tot het veroveren van Caesars lauwerkrans

♥ S. Vestdijk *De nadagen van Pilatus* (1938); de belevenissen van Pilatus en Maria Magdalena in de jaren na de kruisiging van Jezus

✻ Louis Couperus *Langs lijnen van geleidelijkheid* (1900); gescheiden Haagse vrouw raakt onder de betovering van een schildersbeest

» Harry Mulisch *De ontdekking van de hemel* (1992); slechts één deel van dit jongensboek voor intellectuelen speelt in Rome – toch nog een bladzijde of 175

Forza letteratura!

De stad Palermo zou eigenlijk Gattopardo moeten heten, naar
de mooiste roman waarin Sicilië een hoofdrol speelt: *De tijgerkat*
van Giuseppe Tomasi di Lampedusa.

Het was een bijzonder eerbetoon dat de Siciliaan Andrea Camilleri in 2003 ten deel viel. Porto Empedocle, het havenplaatsje waar de wereldberoemde misdaadromancier in 1925 geboren werd, sierde zichzelf met een nieuwe naam: Vigàta, naar de fictieve thuisbasis van Camilleri's schepping Salvo Montalbano. De humeurige politiecommissaris, die tussen een glas wijn en een flink bord pasta de ingewikkeldste zaken oplost, was al goed voor de verkoop van miljoenen misdaadromans; op enkele duizenden bezoekers per jaar mag dus wel gerekend worden.

Werk aan de winkel voor de Siciliaanse toeristenindustrie; want op het eiland tussen de Ionische en de Tyrreense Zee bevinden zich heel wat meer plaatsen die rijp zijn voor een nieuwe naam. Aci Castello bijvoorbeeld, dat veel beter Malavoglia gedoopt zou kunnen worden, naar de titel van de beroemdste roman van de negentiende-eeuwse ingezetene Giovanni Verga. Of Vizzini, dat net zo gemakkelijk Vittorini zou kunnen heten, naar de auteur van het beroemde *Gesprek op*

Sicilië. En als men dan toch bezig is, mag Palermo herdoopt worden tot Lampedusa, of desnoods Gattopardo, ter ere van de mooiste roman van Sicilië: Giuseppe Tomasi's *De tijgerkat*, over de ondergang van een negentiende-eeuwse prins.

Il gattopardo, dat een jaar na de dood van de schrijver in 1958 verscheen, kan zich meten met de grote familieromans uit de wereldliteratuur. Maar het is meer dan een saga over aristocratie en verval. Het is ook een sublieme politieke roman over de Italiaanse eenwording van 1860, toen royalisten en revolutionairen, sjoemelaars en slampampers elkaar de macht betwistten. Daarnaast, en dat houdt het boek in de eenentwintigste eeuw aantrekkelijk, geeft het een memorabel beeld van 'het ware gezicht van Sicilië, waarbij vergeleken barokke steden en sinaasappelboomgaarden niet meer zijn dan onbetekenende opschik'. Het Sicilië van Tomasi is een 'troosteloos en onredelijk' eiland dat zucht onder het gewicht van 25 eeuwen opgelegde beschaving, en waar iedere verandering door de bewoners in golvende dorheid wordt gesmoord.

Dat neemt niet weg dat – literair gezien – geen regio kan concurreren met Sicilië. Het heeft dan ook een voorsprong, want reeds de oude Griek Homeros situeerde een belangrijk deel van zijn *Odyssee* in de Tyrreense Zee bij de Straat van Messina. Zelfs Sardinië, dat net als Sicilië heel lang een apart koninkrijk was, kan niet tippen aan haar zuiderbuur. Toen Salvatore Quasimodo in 1959 als tweede Siciliaan (na Luigi Pirandello) de Nobelprijs voor literatuur in de wacht sleepte, was het pleit beslecht. Een opvolger voor Sardiniës trots, Grazia Deledda, Nobellaureaat in 1925, heeft zich de laatste veertig jaar niet aangediend.

Marcello Fois *Immer dierbaar* (1998); de liefde tussen een arme jongen en een rijk meisje wordt gefnuikt door valse beschuldigingen en gered door een vasthoudende advocaat

 Margreet Hirs *Bittere honing* (2000); een belezen Milanese politieman onderzoekt de ontvoering van een Nederlands meisje in een dorpsgemeenschap

 Giuseppe Tomasi di Lampedusa *De tijgerkat* (1958); de ondergang van een adellijke 19de-eeuwse familie in moderniserend Italië

Salvatore Satta *De dag des oordeels* (1975); de ondergang van het gezin van een materialistische notaris

 Michael Dibdin *Vendetta* (1991); de Venetiaans-Romeinse speurder Aurelio Zen onderzoekt de moord op een rijke zakenman met hooggeplaatste vrienden

♥ Silvana La Spina *De minnaar uit het paradijs* (1998); een vrouw wordt speelbal van moslims en christenen in elfde-eeuws Sicilië en Byzantium

■ Sebastiano Vassalli *De Zwaan* (1993); een eenzaam Kamerlid bindt de strijd aan met de maffia in het parlement en het bankwezen

Grazia Deledda *Elias Portolu* (1903); een jongen uit een arm dorpje worstelt met zijn liefde voor de vrouw van zijn broer

SARDINIË

✿ Salvatore Quasimodo *Water en land* (1930); nostalgische gedichten in de eerste bundel van de Nobelprijswinnaar van 1959

NUORO

◆ Giorgio Todde *De som der zielen* (2002); een wetenschapper uit de grote stad stuit op hebzucht en wraak in een oeroud dorp dat door moorden geteisterd wordt

▢ Homeros *Odyssee* (ca. 700 v. Chr.); op weg naar huis stuit de held in de Ionische en Tyrreense Zee onder meer op cyclopen en zeemonsters

CAGLIARI

⊙ Giovanni Chiara *De valstrik* (1999); een oude vader worstelt met de maffia, zijn losbollige zoon en zijn eigen koppigheid

⇕ Mario Puzo *The Godfather* (1969); slechts een klein deel van deze Amerikaanse maffiasaga speelt op Sicilië, maar niet het slechtste

✗ Giovanni Verga *I Malavoglia* (1881); naturalistisch meesterwerk over het hoofd van een vissersfamilie die door een aaneenschakeling van rampen wordt getroffen

♛ Andrea Camilleri *De vorm van water* (1994); in het eerste deel van de Montalbano-reeks stuit de gemoedelijke commissaris op hooggeplaatste corruptie

PALERMO

CORLEONE

TINDARI ✿

SICILIË

STRAAT VAN MESSINA

PORTO EMPEDOCLE

CALTANISETTA

ACI CASTELLO

AGRIGENTO

SIRACUSA

VIZZINI

 Luigi Pirandello *Novellen voor een jaar* (1922-1937); honderden verhalen over het dagelijks leven; vijf werden er door de gebroeders Taviani in het twintig jaar oude *Kaos* verfilmd

❈ Leonardo Sciascia *De dag van de uil* (1961); een Noord-Italiaanse politieman botst op de maffiose horen-zien-en-zwijgencultuur bij het onderzoek naar een moord

❖ Mary Renault *The Mask of Apollo* (1966); een acteur in het Syracuse van de verlichte klassiek-Griekse tiran Dion

✖ Elio Vittorini *Gesprek op Sicilië* (1941); lyrisch-absurdistische roman over een naar het noorden geëmigreerde man die terugkeert naar het bergdorpje van zijn moeder

Boeken voor een reis naar Brittannië

Buitenlandse schrijvers lijken niet geïnteresseerd in Zuid-Engelse locaties. Ruim baan voor Thomas Hardy en Jane Austen, de *local heroes* van het gebied tussen Kent en Cornwall.

Op de cd *Another Monty Python Record* (1971) worden sommige sketches onderbroken door nieuwsflitsen vanuit een voetbalstadion. Alleen zijn het geen doelpunten of dribbels waarvan de opgewonden commentatoren verslag doen, maar woorden, zinnen en puntkomma's. Welkom bij *'novel writing from Dorset'*: aan het bureau op de middenstip zit Thomas Hardy (1840-1928), en terwijl de supporters hem fanatiek aanmoedigen, schrijft hij letter voor letter de opening van zijn elfde roman, *The Return of the Native*.

Het is vast geen toeval dat het Python-team in deze sketch koos voor Hardy, de realist uit Dorchester die in zijn zogeheten Wessex-romans de steden en landschappen van Zuidwest-Engeland vereeuwigde. Er zijn weinig andere Engelse schrijvers die in hun oeuvre zo'n afgebakende thuiswedstrijd spelen; en internationaal bevindt Hardy zich in één divisie met onder meer James Joyce (die in al zijn werken Dublin oproept), William Faulkner (Mississippi) en Giorgio Bassani (Ferrara). Ook al gaf Hardy alle plaatsen die hij

beschreef een andere naam, ze zijn nog steeds duidelijk herkenbaar; de meeste van zijn grote romans spelen rondom Dorchester (Casterbridge), en alleen *Jude the Obscure* gaat voornamelijk over het noordelijker gelegen Oxford.

Misschien dat Jane Austen (Steventon 1775 - Winchester 1817) ook nog een stadion vol zou krijgen met fans uit de regio. Niet alleen omdat haar zes voltooide romans nog steeds veel gelezen (en veel verfilmd zijn), maar vooral omdat ze het zuidelijke deel van laat-achttiende-eeuws Engeland zo mooi in kaart brengen. Zo zijn *Northanger Abbey* en *Persuasion* sprankelende evocaties van de *(upper-)middle class* in het kuur- en cultuuroord Bath, terwijl *Sense and Sensibility* het rijke plattelandsleven in Devon beschrijft. In *Persuasion*, over twee dochters van een arme snob die de juiste echtgenoten zoeken, speelt zich de sleutelscène af op het havenhoofd van de badplaats Lyme Regis – iets wat John Fowles anderhalve eeuw later moet hebben geïnspireerd bij het schrijven van zijn pseudo-Victoriaanse roman *The French Lieutenant's Woman*.

Er zijn meer boeken die met één bepaalde Zuid-Engelse plaats verbonden zijn – van *The Canterbury Tales* tot *Brighton Rock*, en van *Winnie the Pooh* (Ashdown Forest, het reëel bestaande 'Honderdbunderbos') tot *The Hound of the Baskervilles* (Dartmoor, de beruchte moerassen). Maar ze zijn allemaal geschreven door Britten. Geen buitenlandse meesterschrijver koos voor zijn (of haar) bijdrage aan de wereldliteratuur Zuid-Engeland als decor. Engeland heeft het uitheemse schrijven op locatie buiten de deur weten te houden, net als de euro, het links rijden en de hondsdolheid.

Henry Fielding **Tom Jones** (1749); een vondeling vindt na een leven vol avonturen en avontuurtjes zijn jeugdliefde en ware afkomst terug

⊗ Jane Austen **Northanger Abbey** (1818); romantische komedie over een kuuroord (in de vorm van een pastiche op een gothic novel)

◻ Oscar Wilde **The Ballad of Reading Gaol** (1898); lang gedicht over een ter dood veroordeelde criminel passionné (met de terugkerende regel *'each man kills the thing he loves'*)

◪ T.S. Eliot **'East Coker'** (1940); het tweede van de vierdelige gedichtencyclus *Four Quartets* gaat over het dorpje van waaruit Eliots voorvader in 1699 naar de Nieuwe Wereld vertrok

❖ Virginia Woolf **Orlando** (1928); pseudo-biografie van een adellijke dichter die van geslacht verandert en de eeuwen trotseert

✪ Geoffrey Chaucer **The Canterbury Tales** (eind 14de eeuw); pelgrims vertellen elkaar 22 rauwkomische verhalen in rijmende verzen

♣ Charles Dickens **Great Expectations** (1860-1861); weesjongen krijgt een geheimzinnige weldoener

▲ Thomas Malory **Le Morte d'Arthur** (1470); sagen en legenden rondom koning Arthur, Merlijn, Lancelot en de Heilige Graal

LONDEN (ZIE KAART 20)

READING ◻

✚ ROCHESTER

CANTERBURY ✪

❖ KNOLE

ASHDOWN FOREST ✖

BATH ⊗

SALISBURY ♥

WINCHESTER ❊

KENT

SOMERSET

◪ EAST COKER

EAST-SUSSEX

BRIGHTON ≫

⊙

CADBURY ▲

LYME REGIS ◑

DARTMOOR ↻

DORSET ⊠

ISLE OF WIGHT ♛

↕ WEYMOUTH

CORNWALL

TORQUAY ◆

FOWEY ■

◑ John Fowles **The French Lieutenant's Woman** (1969); een braaf verloofde Victoriaanse paleontoloog raakt in de ban van een gevallen vrouw

❊ Anthony Trollope **The Warden** (1855); in de eerste van de 'Barsetshire'-boeken bedreigt een dokter de reputatie van een goedmoedige kerkvoogd

↻ Arthur Conan Doyle **The Hound of the Baskervilles** (1902); Sherlock Holmes en Dr Watson onderzoeken een geheimzinnige moord op een edelman

⊠ Thomas Hardy **Tess of the D'Urbervilles** (1891); tragedie over een te vaak bedrogen boerenmeisje dat de man doodt die haar tot twee keer toe vernederde

✖ A.A. Milne **Winnie the Pooh** (1926); eerste deel van de avonturen van de 'beer met weinig brein' in het Hundred Acre Wood

■ Daphne Du Maurier **Rebecca** (1938); een jong getrouwde vrouw probeert het geheim van het eerste huwelijk van haar echtgenoot te ontraadselen

↕ Kazuo Ishiguro **The Remains of the Day** (1989); op een reisje door de West Country overdenkt een butler zijn door plichtsbetrachting mislukte leven

♥ William Golding **The Spire** (1964); een van God en de duivel bezeten middeleeuwse geestelijke wil koste wat kost een spits op zijn kathedraal zetten

⊙ Adam Thorpe **Ulverton** (1989); de geschiedenis van een Engels dorpje tussen 1650 en 1988, in twaalf verschillend vertelde momentopnames

◆ Agatha Christie **Ten Little Niggers / And Then There Were None** (1939); op een verlaten eilandje nodigt iemand tien mensen uit met wie hij/zij een appeltje te schillen heeft…

≫ Graham Greene **Brighton Rock** (1938); de korte carrière van een ambitieuze jonge gangster en zijn nog jongere bruid

♛ Julian Barnes **England, England** (1998); een gewiekste zakenman wil een themapark rondom de Engelse identiteit opzetten

Waar Oscar wilde en Oliver twist

Met Dickens in de hand kun je negentiende-eeuws Londen laten herleven. Maar het centrum van Engeland is ook de stad van de Bloomsbury Group en de twee-culturenschrijvers.

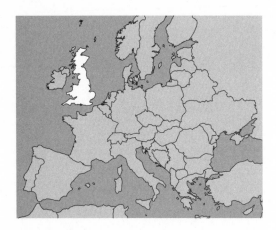

als Iris Murdoch en Angry Young Men als John Osborne). En daarvoor was er het Bloomsbury van de jaren twintig (D.H. Lawrence, Virginia Woolf, Aldous Huxley), de mistige fin-de-siècle-stad van Oscar Wilde en Arthur Conan Doyle, en natuurlijk het Victoriaanse Londen van Charles Dickens (1812-1870).

Wie Londen wil leren kennen, moet Dickens lezen. Een van de stelregels van deze literaire atlas is dat geen enkele schrijver twee keer op één kaart mag voorkomen, en in het geval van Dickens en Londen viel dat zwaar. *Bleak House* geeft een onvergetelijk beeld van (onder veel meer) de gerechtsgebouwen en de sloppen in Holborn. Maar de keuze had net zo goed kunnen vallen op *Oliver Twist* (1837-1838), het diefje-met-verlosverhaal dat zich voornamelijk afspeelt rondom Farringdon Road; op *Great Expectations* (1860), de ontwikkelingsroman over een ambitieuze weesjongen waarin vele Londense landmarks figureren; of op *Little Dorrit* (1855-1857), dat de schuldenaarsgevangenis Marshalsea beroemd maakte. Ook moderne dickensianen als Peter Ackroyd en Jonathan Coe hebben de Londense kerken, kroegen, huizen en overheidsgebouwen op de literaire kaart gezet. Maar niemand bestreek tussen Hampstead en het East End zo veel plaatsen als Dickens in zijn vijftien romans en talloze verhalen. Heinrich Schliemann ontdekte Troje met de *Ilias* van Homeros in de hand. Mocht Londen met het stof der millennia bedekt worden, dan zou je het gemakkelijk kunnen vinden en opgraven met het werk van Dickens als wegwijzer.

Brick Lane is een winkelstraat in het Londense East End, het epicentrum van de Bengaalse gemeenschap in Groot-Brittannië. Het is ook de titel van het debuut van Monica Ali, dat op een haar na de Booker Prize van 2003 miste. De dikke roman, over een Bengaals meisje dat uitgehuwelijkt wordt aan een immigrant in Londen, is vaak vergeleken met *White Teeth* van de Jamaicaans-Britse Zadie Smith, waarin de Engelse hoofdstad ook een belangrijke rol speelt. *The Empire writes back*, inderdaad; de multiculturele schrijvers hebben van Londen het afgelopen decennium weer een centrum van wereldliteratuur gemaakt.

De literaire bloeiperiodes van Londen, die begonnen in de zestiende eeuw toen Shakespeare van Stratford naar de hoofdstad verhuisde, volgen elkaar in snel tempo op. Vóór het Londen van de allochtone schrijvers was er het bruisende Londen van de jaren vijftig (met satirische humoristen als Kingsley Amis, Britse existentialisten

★ Doris Lessing *The Golden Notebook* (1962); een schrijfster wordt middelpunt van de strijd tussen de seksen

◪ George Orwell *Keep the Aspidistra Flying* (1936); een boekverkoper verzet zich vergeefs tegen het door de sanseveria gesymboliseerde burgerbestaan

❖ Virginia Woolf *Mrs Dalloway* (1925); briljante modernistische roman over een dag in het leven van een Londense societydame

✪ Robert Louis Stevenson *The Strange Case of Dr Jekyll and Mr Hyde* (1885); het dubbelleven van de dokter speelt zich af in een gotische versie van de hoofdstad

⊕ Joseph Conrad *The Secret Agent* (1907); een amateuranarchist pleegt een aanslag op het observatorium bij de nulmeridiaan

▲ Charles Dickens *Bleak House* (1852-1853); een weesmeisje ontdekt haar afkomst te midden van sociaal onrecht en een voortslepende Londense rechtzaak

℃ William Shakespeare *Richard III* (1591); opkomst en ondergang van de ambitieuze vijftiende-eeuwse koning-moordenaar Richard of Gloucester

◻ Jonathan Coe *What a Carve-Up!* (1994); neogotisch griezelverhaal over de ondergang van een adelsfamilie in de Thatcher-jaren

✛ Hanif Kureishi *The Buddha of Suburbia* (1989); een Indiase Brit droomt van een carrière als acteur in de glamoureuze binnenstad

■ John Gay *The Beggar's Opera* (1728); liefde en verraad in de 18de-eeuwse onderwereld, met een hoofdrol voor de onweerstaanbare boef Macheath

✕ Martin Amis *London Fields* (1989); satire over een Amerikaanse schrijver die zich laat verleiden tot moord

◑ Arthur Conan Doyle *The Adventures of Sherlock Holmes* (1892); korte verhalen over de pijprokende meesterspeurder

◆ Muriel Spark *A Far Cry from Kensington* (1988); humoristische, licht autobiografische roman over de uitgeverswereld van de jaren vijftig

↕ Oscar Wilde *The Picture of Dorian Gray* (1890); een dandy verkoopt zijn ziel voor eeuwige jeugd en schoonheid

♥ Herman Franke *De verbeelding* (1998); op zijn erezuil mijmert admiraal Nelson over leven en liefde (voor de overspelige lady Hamilton)

♛ Peter Ackroyd *Hawksmoor* (1985); een twintigste-eeuwse detective probeert een aantal rituele moorden in kerken in heden en verleden op te lossen

✹ Graham Swift *Last Orders* (1997); vier vrienden verstrooien de as van een slager in een variatie op de *Canterbury Tales* en Faulkners *As I Lay Dying*

» T.S. Eliot *The Waste Land* (1922); fragmentarisch gedicht over het grotestadsleven in een verbrokkelde tijd

LONDEN-CENTRUM

HAMPSTEAD
BATTERSEA
GREENWICH
BROMLEY

MAIDA VALE
BAKER STREET
BLOOMS-BURY
EAST END
NEWGATE PRISON
LINCOLN'S INN
ST. PAUL'S CATHEDRAL
KING WILLIAM STREET
MAYFAIR
THEEMS
THE TOWER
HYDE PARK
TRAFALGAR SQUARE
KENSINGTON
BERMONDSEY

Groots Brittannië

Bestijg het (lucht)schip over de Noordzee niet zonder uw valies met *Brideshead Revisited* van Evelyn Waugh. En gaat u naar Wales, neem dan *Under Milk Wood* van Dylan Thomas mee.

De bekendste roman over het voormalige prinsdom Wales is Richard Llewellyns mijnwerkerssaga *How Green Was My Valley* (1938) – al was het maar dankzij de succesvolle filmversie van regisseur John Ford. Het literaire werk dat de 'spirit of Wales' het mooist oproept, is *Under Milk Wood* van Dylan Thomas, die in 1953 op 39-jarige leeftijd overleed. Thomas' postuum verschenen 'Play for Voices' geeft in speels rollende, soepel allittererende vrije verzen en liedjes een melancholiek beeld van een vissersplaatsje in Zuid-Wales. De handeling speelt zich af op één dag, net als die van Thomas' grote voorbeeld *Ulysses*, en sommige van de personages, zoals de blinde nostalgicus Captain Cat en de altijd zwangere romantica Polly Garter, zijn even memorabel als Joyce' Leopold en Molly Bloom.
Under Milk Wood (ooit subliem vertaald door Hugo Claus) is hét boek om mee te nemen op een Reis door Wales – ontroerend, licht, en onuitput-

telijk. Wie naar het oosten, naar het midden of het noorden van Engeland gaat, heeft veel meer keuze. Een wandeltocht langs de Theems? *The Wind in the Willows* van Kenneth Grahame. Een studiereis naar de *colleges* en *greens* van Cambridge? *The Masters* van C.P. Snow. Een bezoek aan een siertuin in de Cotswolds? 'Burnt Norton' van T.S. Eliot. Uitwaaien en nat worden in de *Fens* van East Anglia? *Waterland* van Booker Prizewinnaar Graham Swift. Er is voor elk wat wils, zelfs voor hen die willen weten hoe het was om vrouw te zijn in negentiende-eeuws Warwickshire (*Middlemarch* van George Eliot) of mijnwerkerszoon in Nottinghamshire (*Sons and Lovers* van D.H. Lawrence).
Toch is er één boek dat als geen ander het middelste gedeelte van Groot-Brittannië evoceert: *Brideshead Revisited* van de Londense satiricus Evelyn Waugh (1903-1966). Op de kaart hiernaast staat een ruitje bij Castle Howard, het achttiende-eeuwse landhuis dat in de televisiebewerking van *Brideshead Revisited* gebruikt werd als het buiten van het degenererende gezin Marchmain. Het had evengoed kunnen staan bij kasteel Madresfield in Worcestershire, waar de familie woonde op wie Waugh zijn roman baseerde. Of bij Oxford natuurlijk, waar Waugh studeerde en waar zich de superieur-nostalgische eerste hoofdstukken van zijn noodlotsdrama afspelen. 'Et in Arcadia ego' heet het eerste deel van *Brideshead Revisited*, en wie op een zonnige dag tussen de (neo)gotische universiteitsgebouwen rondloopt, snapt wat Waughs hoofdpersoon Charles Ryder bedoelde.

★ William Wordsworth en Samuel Taylor Coleridge *Lyrical Ballads* (1798-1802); verzamelde gedichten die geïnspireerd zijn door majestueuze natuurgebieden

▲ Emily Brontë *Wuthering Heights* (1847); passie en wraak verpakt in een 'gothic romance' over een vondeling en zijn stiefzuster

◆ Evelyn Waugh *Brideshead Revisited* (1945); de ondergang van een katholieke adellijke familie, verteld door een omhooggevallen middenklassestudent

◪ Beatrix Potter *The Tale of Peter Rabbit* (1902); ondeugend konijn ontsnapt ternauwernood aan de wraak van een getergde tuinier

■ Laurence Sterne *The Life and Opinions of Tristram Shandy, Gentleman* (1767); ontsporende 'autobiografie' van een revolutionaire verteller

↕ Walter Scott *Ivanhoe* (1819); een kruisridder helpt een dame in nood, met een beetje hulp van zijn vrienden, Robin Hood en Friar Tuck

◉ T.S. Eliot *'Burnt Norton'* (1936); het eerste gedicht uit de cyclus *Four Quartets* (1943) vond zijn oorsprong in een pelgrimage naar een tuin in de Cotswolds

✪ D.H. Lawrence *Sons and Lovers* (1913); de seksuele en artistieke bewustwording van een mijnwerkersjongen

♥ Graham Swift *Waterland* (1983); geschiedenisleraar probeert in een lange, autobiografische monoloog tot zijn leerlingen in het reine te komen met een moord tijdens de Tweede Wereldoorlog

♔ George Eliot *Middlemarch* (1871); provinciaalse schone verkiest (bij tweede huwelijk) liefde boven fortuin

✤ Bruce Chatwin *On the Black Hill* (1982); noodlotssaga over tweelingbroers rondom de Eerste Wereldoorlog

✿ C.P. Snow *The Masters* (1951); machtsspelletjes in de wandelgangen van een college

◻ Dylan Thomas *Under Milk Wood* (1954); 'toneelstuk voor stemmen' over de dromerige bewoners van een klein vissersplaatsje

» Henry James *The Turn of the Screw* (1897); modernistisch spookverhaal over een gouvernante die twee kinderen probeert te behoeden voor rondwarende geesten

❖ Alfred Lord Tennyson *Idylls of the King* (1859-1885); twaalf koning Arthur-verhalen in de vorm van lange gedichten

⊂ Kenneth Grahame *The Wind in the Willows* (1908); pad drijft vrienden tot wanhoop in nostalgische dierensatire

X Thomas Gray *An Elegy Written in a Country Churchyard* (1751); melancholieke gedachten over de nietigheid van de mens

◑ Colin Dexter *The Jewel That Was Ours* (1992); inspecteur Morse en sergeant Lewis onderzoeken een moord in het luxueuze Randolph Hotel

◉ Thomas Hardy *Jude the Obscure* (1896); het verhaal van een dorpsjongen, gemangeld in de 'oorlog tussen vlees en geest', eindigt hartverscheurend in de grote stad

Map labels

SCHOTLAND (ZIE KAART 22)

LAKE DISTRICT ★◪

COXWOLD ■

▲ WEST YORKSHIRE MOORS

CASTLE HOWARD

ENGELAND

EASTWOOD ✪

↕ NOTTINGHAM

♔ WARWICKSHIRE

♥ ELY

✿ CAMBRIDGE

WALES

BRECON BEACONS ✤

◻ LAUGHARNE

CAERLEON ❖

◉ CHIPPING CAMPDEN

» BLY

THEEMS

◉ OXFORD

STOKE POGES X

PANGBOURNE ⊂

LONDEN (ZIE KAART 20)

ZUID-ENGELAND (ZIE KAART 19)

Schots en schreef

Sir Walter Scott en Robert Louis Stevenson gaven hun geboorteland een verleden; de schrijvers van de 'Scottish Revival' gaven Glasgow en Edinburgh een hip heden.

Niet lang nadat de Glasgowse schrijver James Kelman de Booker Prize had gewonnen voor *How Late It Was, How Late* (1994), werd hij door de Schotse media naar voren geschoven als kandidaat voor de Nobelprijs voor literatuur. Dat zou je zelfoverschatting kunnen noemen, maar ook een bevestiging van gegroeid literair zelfvertrouwen. In de eerste helft van de jaren negentig had het internationale succes van Kelman en Irvine Welsh (*Trainspotting*) Schotland voor het eerst sinds vele decennia weer op de kaart gezet. Jonge schrijvers als Alan Warner en A.L. Kennedy, medewerkers van het hippe literaire tijdschrift *Rebel Inc.*, werden gelanceerd als vertegenwoordigers van een nieuwe stroming: The Glasgow School. Niet alleen injecteerden ze het traditionele sociaal realisme van de Schotse literatuur uit de jaren zestig en zeventig met een flinke dosis seks, drugs en rock-'n-roll; ook maakten ze het Schotse dialect salonfähig. Op de in 2003 gepresenteerde *Granta*-lijst van twintig beste Britse jonge

schrijvers stonden maar liefst drie Schotten; en dan mocht Michel Faber, auteur van het briljante *The Crimson Petal and the White* (2002) niet eens meedoen omdat hij deels Nederlands en deels Australisch is.

De 'Scottish Revival' van de jaren negentig was niet de eerste literaire bloeiperiode van Caledonia. In de achttiende eeuw was Edinburgh een van de verlichtste steden van Europa – een plaats waar de filosoof David Hume converseerde met de biograaf James Boswell en waar de nationale dichter Robert Burns (auteur van 'Auld Lang Syne' en 'My Love Is Like a Red Red Rose') de weg plaveide voor Walter Scott. Het was de romantische dichter Scott, een fervent verzamelaar van historische balladen, die vanaf 1814 met de *Waverley*-cyclus zijn geboorteland in de literatuur een verleden gaf. Zijn aanvankelijk in de achttiende eeuw gesitueerde avonturenverhalen werden verslonden in Engeland, Amerika en Europa. Als grondlegger van de historische roman was hij van grote invloed op onder meer James Fenimore Cooper, Victor Hugo en A.L.G. Bosboom-Toussaint. Als beschrijver van alles wat Schots was, werd hij alleen geëvenaard door Robert Louis Stevenson, de auteur van onder meer *Kidnapped* (1885) en *The Master of Ballantrae* (1888). Én door de kopstukken van de Scottish Revival natuurlijk: zij vervingen honderdzestig jaar na Scott het romantische beeld van Schotland (woeste Highlands, dito bewoners) door een grimmige, maar vrolijk beschreven werkelijkheid vol angstaanjagende stadsgezichten en op hol geslagen drugsgebruikers. De lezer mag bepalen waaraan hij de voorkeur geeft.

♛ Ian Banks *The Wasp Factory* (1984); een jonge moordenaar probeert met bloedige rituelen zijn wereld onder controle te krijgen

■ Robert Louis Stevenson *Kidnapped* (1886); de van zijn erfgoed beroofde David Balfour trekt met een rebelse Hooglander door 18de-eeuws Noord-Schotland

⇕ George Mackay Brown *An Orkney Tapestry* (1969); proza, poëzie, geschiedenis en legende over de geboortestreek van de dichter

♥ Michel Faber *Under the Skin* (2000); surrealistische science-fiction over een buitenaardse fokkerij van mensenvlees

★ Renate Dorrestein *Verborgen gebreken* (1996); een getraumatiseerd meisje vlucht naar Schotland en neemt wraak op haar broer

✪ Hergé *L'Île noire* (1937-1938); de wakkere reporter Kuifje gaat tot in Schotland achter valsemunters aan

❋ Muriel Spark *The Prime of Miss Jean Brodie* (1961); een charismatische lerares op een meisjesschool kweekt elite en komt ten val

◪ Alan Warner *Morvern Callar* (1995); vakkenvulster becommentarieert haar onderdompeling in de *rave*-cultuur

⊗ Alasdair Gray *Lanark – A Life in Four Books* (1981); surrealistische roman waarin de verhalen van een jonge kunstenaar en van zijn alter ego in een verre toekomst door elkaar geweven worden

➤➤ Ian Rankin *Knots and Crosses* (1987); eerste roman rondom de zwalkende detective Inspector Rebus

❖ James Kelman *How Late It Was, How Late* (1994); een man wordt wakker in een politiecel en probeert zijn in stukken gebroken leven te lijmen

✗ James Hogg *The Private Memoirs and Confessions of a Justified Sinner* (1824); de biecht van een Edinburghse moordenaar bezien vanuit verschillende perspectieven

◻ A.L. Kennedy *Night Geometry and the Garscadden Trains* (1990); harde verhalen over gewone Schotten

☾ Robert Burns *Poems, Chiefly in the Scottish Dialect* (1786); poëzie van Schotlands nationale dichter, die later nog 'Auld Lang Syne' zou schrijven

❖ William McIllvanney *Laidlaw* (1977); een ruwe-bolster-blanke-pit-privé-detective in een stad vol grijstinten

⊙ Irvine Welsh *Trainspotting* (1993); hilarisch-pessimistische avonturen van een aan heroïne verslaafde vriendengroep – geschreven in sappig Schots

▲ Andrew O'Hagan *Our Fathers* (1999); generatieroman over een familie van Schotse architecten en activisten

◆ Dorothy Sayers *The Five Red Herrings* (1931); mooie titel voor een heerlijk detectiveverhaal met Lord Peter Wimsey in de hoofdrol

◑ Walter Scott *Rob Roy* (1817); de bedreigde erfgenaam van een landgoed roept anno 1715 de hulp in van de nationalistische bandiet Rob Roy Macgregor

ORKNEY

MORAY FIRTH

SCHOTSE HOOGLANDEN

TOBERMORY

MULL

OBAN

LOCH LOMOND

GLASGOW

EDINBURGH

ZUID-SCHOTS BERGLAND

AYR

CHEVIOT HILLS

GALLOWAY

Ierse settings

De Ierse literatuur is er een van ongelukkige jongetjes en van ballingen die – met uitzondering van James Joyce – niet over hun geboorteland schrijven.

De enige goede Ierse schrijver is een geëmigreerde Ierse schrijver. Het zou het motto kunnen zijn van Oscar Wilde, die als Dublinse student naar Oxford vertrok en carrière maakte. Van Samuel Beckett, die na een kosmopolitische jeugd in Parijs neerstreek en vanaf de jaren vijftig in het Frans schreef. Van Iris Murdoch en George Bernard Shaw, van Bram Stoker en Oliver Goldsmith, van Frank McCourt en Laurence Sterne; en natuurlijk van James Augustine Aloysius Joyce, wiens alter ego uit *A Portrait of the Artist As a Young Man* niet alleen *silence* en *cunning* tot de voorwaarden voor zijn schrijverschap rekent, maar ook *exile*.

Joyce, die na 1904 nooit meer een stap op Ierse bodem zette, is overigens de enige in het rijtje van Ierse Exil-auteurs die bijna al zijn werk in Ierland situeerde. In zijn geval heeft het iets weg van een obsessie. In 1914, toen hij al tien jaar op het continent woonde, vereeuwigde hij in *Dubliners* zijn geboortestad als een plaats waar ongelukkige frustraten hun dagen in geestelijke verlamming slijten; een jaar later beschreef hij Dublin in *A Portrait of the Artist as a Young Man* als een hel van verstikkend katholicisme; en in 1922 werd Dublin een groezelige burgermansmaatschappij waar de hoofdpersoon van *Ulysses* schijnbaar doelloos rondzwerft. Zelfs in *Finnegans Wake*, een experimenteel taalbombardement dat zich beweegt tussen dromen en waken, is de Ierse setting onmiskenbaar. Joyce is in nóg een opzicht een typisch Ierse schrijver. In *A Portrait of the Artist as a Young Man* maar ook in sommige verhalen uit *Dubliners*, bezag hij de Ierse ellende door de ogen van een jongetje – en juist dát is een van de opvallendste kenmerken van de Ierse literatuur. Het (tegenwoordig) beroemdste voorbeeld is natuurlijk *Angela's Ashes* van Frank McCourt, een boek met jeugdherinneringen die volgens de Ierse critici van de schrijver op zijn minst zwaar overdreven zijn; maar de kleine Frank was al voorafgegaan door de jonge Paddy van Roddy Doyle en de *butcher boy* van Patrick McCabe. Simon Vestdijk voegde zich zestig jaar geleden in de traditie door in *Ierse nachten* te schrijven over een rentmeesterszoontje.

En waar is Jonathan Swift, na Joyce misschien wel de grootste Ierse schrijver? Hij ontbreekt op de kaart hiernaast, omdat hij zich aan een andere traditie hield: hij schreef geen fictie over zijn vaderland – al stelde hij in zijn satire *A Modest Proposal* wel voor om de arme kinderen van Ierland als lekkere hapjes te verkopen aan rijke Engelsen.

★ De typisch Ierse gedichten van de symbolist W.B Yeats (bijvoorbeeld *The Wanderings of Oisin*, 1889)

■ Bleker & Elmendorp *Zwart glas* (1997); een au pair in een vissersdorp ontdekt anno 1979 de moordzuchtige achterkant van de (Noord-)Ierse idylle

✿ Robert McLiam Wilson *Eureka Street* (1996); een groep jongeren op zoek naar geld en geluk in een verscheurde stad

◆ Brian Moore *The Lonely Passion of Judith Hearne* (1955); een gelovige oude vrijster verhuist naar een pension en begint een relatie met een alcoholische gast

▧ John Millington Synge *The Playboy of the Western World* (1907); toneelbewerking van een volksverhaal over een jongen die de blits maakt met het (onware) verhaal dat hij zijn tirannieke vader heeft vermoord

▲ De Noord-Ierse gedichten van Nobelprijswinnaar Seamus Heaney (bijvoorbeeld in *Death of a Naturalist*, 1966)

↻ Bernard MacLaverty *Cal* (1983); een verliefde katholieke jongen op het platteland raakt verstrikt in terroristisch geweld

✪ Edna O'Brien *The Country Girls* (1960); eerste deel van een trilogie over twee tegengestelde meisjes te midden van armoe en katholicisme; vervolgd in *The Lonely Girl* (1962) en *Girls in Their Married Bliss* (1964)

⇕ Patrick McCabe *The Butcher Boy* (1992); rampzalige ontsporingen van een rotjoch in de provincie – verteld in zijn eigen woorden

♛ Leon de Winter *Zoeken naar Eileen W.* (1981); een boekhandelaar reconstrueert de Tristan & Isolde-tragedie van een katholiek meisje en haar protestantse liefde

❖ Frank McCourt *Angela's Ashes* (1996); bittere armoe, een dronken vader en een opofferende moeder door de ogen van een klein jongetje

◑ Flann O'Brien *The Third Policeman* (1967); komische, breed uitwaaierende misdaadroman over de moord op een boer – door de verteller

⊙ S. Vestdijk *Ierse nachten* (1946); anno 1852 moet het zoontje van de rentmeester van een kasteel kiezen tussen zijn Engelse vader en zijn Ierse moeder

❖ William Trevor *Reading Turgenev* (1991); een protestantse vrouw in een klein stadje trouwt ongelukkig en begint een relatie met haar jeugdliefde

□ Elizabeth Bowen *The Last September* (1929); tragikomedie over een Anglo-Iers meisje ten tijde van de 'Troubles', de burgeroorlog van 1922-1923

♥ James Joyce *Ulysses* (1922); stilistisch gevarieerde Homerus-parodie over de omzwervingen van de joodse 'everyman' Leopold Bloom, op de dag dat hij bedrogen wordt door zijn vrouw Molly

❀ Roddy Doyle *Paddy Clarke Ha Ha Ha* (1993); Booker Prize-winnaar over een tien jaar oud jongetje dat vertelt over zijn leven in een Noord-Dublinse achterstandswijk anno 1968

» Joseph O'Connor *The Salesman* (1998); zwarthumoristisch verhaal over een verkoper van schotelantennes die wraak zoekt op de misdadigers die zijn dochter in coma hebben geslagen

BARRYTOWN »
❀ ✗
LIFFEY
♥ DUBLIN CASTLE
TRINITY COLLEGE
ST. PATRICK'S CATHEDRAL
ST. STEPHEN'S GREEN
DUBLIN-CENTRUM

✗ J.P. Donleavy *The Ginger Man* (1955); komische schelmenroman over een rechtenstudent

COUNTY DONEGAL
NOORD-IERLAND
■
▲
BELFAST ↻
SLIGO ★
◆
COUNTY MAYO
▧
COUNTY MONAGHAN
IERLAND
⇕
COUNTY OFFALY
DUBLIN ♛
✪
◑
COUNTY CLARE
LIMERICK ❖
CORK ❖
□

Alles über Deutschland

Waar stierf Siegfried en waar woonden de Buddenbrooks? Waar bad Narziss en schudde Faust zijn retorten? In Duitsland wordt een zwaar beroep gedaan op de verbeelding van de literaire toerist.

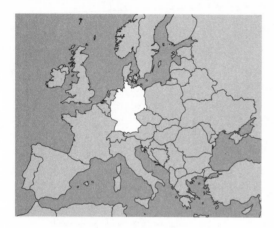

In Lübeck heb je het 'Buddenbrookhaus', dat tegenwoordig is ingericht als museum voor Thomas (en Heinrich) Mann. Bij Maulbronn staat het klooster waar Hesses Narziss en Goldmund ooit geweest zijn. En in Baden-Baden word je rondgeleid langs de roulettetafels waaraan de hoofdpersoon uit Dostojevski's *Speler* zou hebben gezeten. Maar het is in het Rijnland dat het Duitse literatuurtoerisme het sterkst is ontwikkeld. Tussen het stadje Worms en het Odenwald zijn maar liefst twee lange toeristische routes uitgezet op basis van het *Nibelungenlied*, het middeleeuwse epos over de ondergang van de drakendoder Siegfried (dat in de negentiende eeuw door Richard Wagner onherkenbaar werd getransformeerd tot de operacyclus *Der Ring des Nibelungen*).

Worms, dat in het begin van de vijfde eeuw heel even de zetel van het Bourgondische koningshuis was (en daarmee de setting van het eerste deel van het *Nibelungenlied*), is trots op alles wat met Siegfried, zijn moordenaar Hagen, zijn wraakzuchtige vrouw Kriemhilde, zijn zwager koning Gunther of een van de andere personages uit het Hoogduitse epos in verband kan worden gebracht. Wie naar Worms gaat, logeert in Hotel Kriemhilde, eet Siegfriedsteak en Nibelungenschnitzel, passeert de Hagenstrasse en de Brunhildebrücke, en wandelt met een speciale kaart van de VVV langs de herinneringsplaatsen van de 'Nibelungenweg'. En dat is nog maar het begin, want rijdend naar het oosten, over de zogenaamde Siegfriedstrasse, passeer je onder meer de lege grafkist van Siegfried (die is opgesteld te midden van de resten van het klooster van Lorsch) en de bron bij Gras-Ellenbach waar de verder onkwetsbare Bourgondiër met een speer in zijn rug werd gestoken. De bron staat tegenwoordig droog, maar er is een waterleiding naartoe gelegd die op gezette tijden voor de toeristen wordt opengedraaid.

In en om het Odenwald wordt de verbeelding van de literaire toerist soms behoorlijk op de proef gesteld. Maar dat is op andere plaatsen in Duitsland niet anders. Zo zijn er verschillende kastelen en kloosters die beweren dat de zestiende-eeuwse alchemist Johannes Faust er gewoond heeft – nogal ongeloofwaardig, zeker voor de bezoekers van het Gelderse kasteel Neerijnen die zich de originele vlek kunnen herinneren van de inktpot die Doctor Faust ooit naar de duivel gooide. Niemand weet waar Theodor Storms 'Schimmelreiter' precies reed, of in welke Konditorei de romantische ontmoeting uit Toergenjevs *Lentebeken* plaatshad. Wie zeker wil zijn van een 'authentieke' lezen-op-locatie-ervaring, kan het best een reisje maken naar de Rijn bij St. Goarshausen, waar sinds jaar en dag de boter gebraden wordt uit de Loreley-rots waaraan Heinrich Heine zijn beroemde gedicht wijdde.

✤ Theodor Storm *Der Schimmelreiter* (1888); een ambitieuze dijkgraaf gaat te gronde aan hebzucht en machtswellust

▣ Erskine Childers *The Riddle of the Sands* (1903); een spionageroman die zich afspeelt in de lange aanloop naar de Eerste Wereldoorlog

★ Siegfried Lenz *Deutschstunde* (1968); dorpsagent moet tijdens de Tweede Wereldoorlog optreden tegen een bevriende, entartete kunstenaar

▲ Thomas Mann *Buddenbrooks* (1901); het verval van een koopmansfamilie als symbool voor het lot van de negentiende-eeuwse Duitse burgerij

↻ Bernhard Schlink *Der Vorleser* (1995); de liefde van een schooljongen voor een oudere vrouw met een verborgen oorlogsverleden is ook een parabel over schuldgevoel en verwerking van de nazi-tijd

✣ Arnon Grunberg *De asielzoeker* (2003); een gedesillusioneerde man probeert het zijn stervende vrouw zoveel mogelijk naar de zin te maken

♥ Ivan Toergenjev *Lentebeken* (1872); Russische jongen wordt verliefd op een meisje in een Konditorei

◆ Heinrich Böll *Billiard um halb zehn* (1959); in één naoorlogse dag tijdens het wirtschaftswunder ontvouwt zich de geschiedenis van drie generaties architecten

↕ Hans Jakob Christoffel von Grimmelshausen *Simplicissimus* (1669); de steeds wilder wordende avonturen van een schelm tijdens de Dertigjarige Oorlog

⊕ John Le Carré *A Small Town in Germany* (1968); op het hoogtepunt van de Koude Oorlog verdwijnt een Engelse ambtenaar

» Jakob Wassermann *Caspar Hauser* (1908); het klassieke verhaal van een jongen-in-een-kast-gevonden als een fabel over assimilatie

■ Heinrich Heine *Lore-Lei* (1824); romantische herdichting van de oude sage over de femme fatale op de Rijnrots

▢ Johann Wolfgang von Goethe *Faust* (1808/1832); rijmende, filosofische tragedie over een wetenschapper die zijn ziel aan de duivel verkoopt

✗ Anoniem *Das Nibelungenlied* (ca. 1200); rijmend heldenepos over de wraak van de Bourgondische koningsdochter Kriemhild voor de moord op haar man Siegfried

✻ Wolfgang Koeppen *Tauben im Gras* (1951); collageroman over een dag uit het leven van een dertigtal gedesillusioneerde en onsympathieke personages in een naoorlogse bezette stad

♛ Katherine Mansfield *In a German Pension* (1911); tragikomische verhalen over Duitse typetjes

✪ Hermann Hesse *Narziss und Goldmund* (1930); twee middeleeuwse vrienden en hun botsende levenswijzen

✖ Louis Ferron *De keisnijder van Fichtenwald* (1976); een bochelaar probeert vergeefs greep te krijgen op de gebeurtenissen in een door nazi's bevolkt sanatorium annex concentratiekamp

◉ S. Vestdijk *Een Alpenroman* (1961); tragikomische roman over een vrouw op zoek naar rust die wordt belaagd door de (lesbische) liefde

◐ Fjodor M. Dostojevski *De speler* (1868); een man gaat kapot aan liefde en roulette. Lees ook Multatuli's *Millioenenstudiën* (1873)

Map labels

LÜBECK ▲
SLEESWIJK-HOLSTEIN
OOST-FRIESLAND
BIELEFELD ↻
GÖTTINGEN ✣
KEULEN ◆
BONN
RIJN
RIJNLAND ■
FRANKFURT ♥
HANAU ↕
NEURENBERG »
WORMS ✗
MAULBRONN ✪
BADEN-WÜRTTEMBERG
BADEN-BADEN ◐
BEIEREN
MÜNCHEN ✻
ZWARTE WOUD
BEIERSE ALPEN ✖
OBERSTBERG ◉

Das literarische Kapital

Het Duitsland tussen Oostzee en Tsjechië mag als gevolg van twee wereldoorlogen een stuk kleiner zijn geworden, de literatuur is er fiks door aangegroeid.

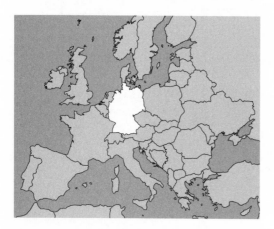

De meeste literaturen moeten het met één of twee bloeiperioden in hun geschiedenis doen, de Oost-Duitse had er in twee eeuwen maar liefst drie. Rond 1775 waren het de genieën Goethe en Schiller die het hertogdom Weimar literair op de kaart zetten met hun invulling van de Romantiek, de 'Sturm und Drang'. Na de Eerste Wereldoorlog ontwikkelde Berlijn, de hoofdstad van de Weimar-republiek, zich als het centrum van het Duitstalige modernisme, en werd er door onder meer Robert Musil, Alfred Döblin, Joseph Roth, Heinrich Mann, Bertolt Brecht, Erich Maria Remarque en Gottfried Benn aan meesterwerken geschreven. En nog geen veertig jaar later was het opnieuw raak, toen de deling van Duitsland (en de bouw van Berlijnse Muur in 1961) tientallen schrijvers inspireerde tot opwindende literatuur.

De Koude Oorlog, die bijna veertig jaar duurde, was niet alleen een dankbaar onderwerp voor Oost-Duitse schrijvers als Stephan Heym, die de censuur van het communistische DDR-regime omzeilden met voorzichtig-kritische romans over morele kwesties, maar ook voor westerse auteurs van spionageverhalen. Een staat waarin met scherp werd geschoten op ontsnappingskunstenaars, en waar het communisme en het kapitalisme elkaar dichter op de huid zaten dan waar ook ter wereld, was de ideale habitat voor James Bond en George Smiley, de geheim agenten uit het werk van de Britten Ian Fleming en John Le Carré (zie kaart 26). En net toen de Oost-Westconfrontatie aan spanning begon te verliezen, werd het IJzeren Gordijn opgehaald en opende zich een nieuwe bron van inspiratie: de verwerking van de Duitse Eenwording.

Reis naar oostelijk Duitsland en je hebt de bijbehorende literatuur voor het uitzoeken: een Pruisische familieroman aan de oever van het Stechlin-meer; een twintigste-eeuwse variatie op Goethes *Junge Werther* in het museumstadje Weimar; een antioorlogstoneelstuk van de meester van het vervreemdingseffect in Halle; een homerisch oorlogsverhaal in het Florence van het Noorden; een experimentele Hongaarse liefdesroman in een lommerrijke badplaats aan de Oostzee; een bundel korte 'Ossi-Wessi'-verhalen in een Saksische provinciestad; een onconventionele spionagethriller in het Leipzig van de Koude Oorlog. En dan laten we de literatuur over het voormalige Oost-Pruisen, waaronder Günter Grass' *'Danziger Trilogie'* en Michel Tourniers *Roi des aulnes*, nog buiten beschouwing. Dankzij de wereldoorlogen, en de daarmee gepaard gaande grensverschuivingen, heeft die een plaatsje gekregen op de kaart van Polen.

★ Péter Nádas *Het Boek der Herinneringen* (1993); een gelaagd liefdesverhaal dat niet alleen in Hongarije en Oost-Berlijn, maar ook in een badplaats aan de Oostzee speelt

✤ Theodor Fontane *Der Stechlin* (1898) familieroman schetst de sociale en politieke verhoudingen in een Pruisen dat na de Duitse eenwording zijn identiteit verliest

✖ Siegfried Lenz *Das Feuerschiff* (1960); op zijn laatste vaart krijgt de kapitein van een lichtschip te maken met drie ongenode gasten en zijn opstandige zoon

◪ Bertolt Brecht *Mutter Courage und ihre Kinder* (1939); een marketentster in de Dertigjarige Oorlog verliest haar laatste kind wanneer het een belegerde stad voor de vijand waarschuwt

♥ Carl Zuckmayer *Der Hauptmann von Köpenick* (1931); een ex-gevangene geeft zich uit voor een autoriteit en ontmaskert het bedrog van de brave burgers

▲ Johann Wolfgang von Goethe *Die Leiden des jungen Werther* (1774); hyperromantische brief- en dagboekroman over hopeloos verliefde jongen die zelfmoord pleegt

♛ Hans Fallada *Kleiner Mann – was nun?* (1932); de liefde (tussen twee gewone Duitsers) overwint zelfs de ecomomische crisis

↻ Uwe Johnson *Das dritte Buch über Achim* (1961); experimentele roman over een West-Duitse journalist die een boek schrijft over een socialistische wielerheld

❖ Gerhart Hauptmann *Bahnwärter Thiel* (1887); droevig verhaal over een wisselwachter die kapotgaat aan de hardvochtigheid van zijn tweede vrouw

◆ Alain Robbe-Grillet *La reprise* (2001); labyrintische spionageroman die zich afspeelt aan het begin van de Koude Oorlog

▢ Heinrich von Kleist *Michael Kohlhaas* (1810); een vernederde paardenhandelaar zoekt recht en eindigt als rover

◑ Thomas Mann *Lotte in Weimar* (1939); de vrouw die model stond voor de geliefde van 'de jonge Werther' ontmoet Goethe in zijn nadagen

↕ Ingo Schulze *Simple Storys* (1998); 29 tragikomische korte verhalen over het moeizame leven van Ossi's na de *Wende*

✖ Durs Grünbein *Nach den Satiren* (1999); dichtbundel waarin parallellen worden getrokken tussen de verwoesting van Pompeii en die van Dresden door de geallieerden (later de socialisten)

✪ Harry Mulisch *Het stenen bruidsbed* (1959); een Amerikaanse piloot keert terug naar de stad die hij in 1945 hielp vernietigen

■ Michael Kumpfmüller *Hampels Fluchten* (2000); een rokkenjagende beddenverkoper vlucht voor zijn schuldeisers en minnaressen na de bouw van de Muur naar de DDR

✗ Gert Hofmann *Der Kinoerzähler* (1990); een oude filmexplicateur verliest door de komst van de sprekende film en de opkomst van de nazi's zijn greep op het leven en zijn morele besef

✤ Gotthold Ephraim Lessing *Minna von Barnhelm oder Das Soldatenglück* (1767); komedie over de liefde van een Pruisische officier en een Saksische edelvrouw

◉ Stefan Heym *Schwarzenberg* (1984); de geschiedenis van een Oost-Duits stadje voordat de communistische partij er aan de macht kwam

OOSTZEE

★ HEILIGENDAMM

MECKLENBURG-VORPOMMERN

✤ STECHLIN-MEER

♥ KÖPENICK

♛ BERLIJN (ZIE KAART 26)

BRANDENBURG

ELBE

SPREE

SACHSEN-ANHALT

◪ HALLE

↻◆ LEIPZIG
▲

WEIMAR ◑ ■ JENA

SACHSEN

✪ DRESDEN
✗

↕ ALTENBURG

SCHWARZENBERG ◉
✗ LIMBACH

THÜRINGEN

Zij waren Berliners

Tientallen grote schrijvers werden aangetrokken door de
magneet die Berlijn was in de jaren twintig. Honderden verlieten
de stad nadat hun boeken in 1933 op de brandstapel waren gegooid.

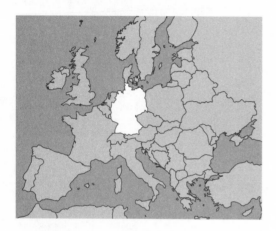

De bloeiperiode van Berlijn als literaire metropool kwam pas nadat de zetel van de Pruisische
koningen bij de Duitse eenwording (1870) was
uitgeroepen tot de hoofdstad van het keizerrijk.
In de eeuwen daarvoor stond Berlijn al bekend als
een centrum van kunst en wetenschap – denk aan
Johann Sebastian Bachs Brandenburgse concer-
ten en het verblijf van Voltaire aan het hof van
Frederik de Grote – maar in de literatuur gebeurde het elders, met name in Weimar en aan het hof
van de Saksische koningen (zie kaart 25). Alleen
de negentiende-eeuwse Romantiek schoot stevig
wortel in de stad tussen de Havel en de Spree, die
onder meer Ludwig Tieck (*Der blonde Eckbert*,
1797) en E.T.A. Hoffmann (de grondlegger van
het genre van de fantastische vertelling) tot zijn
native sons rekende.

Het mooiste beeld van Berlijn in de jaren twintig
– de hoogtijdagen van het culturele modernisme
en van de politieke strijd tussen rechts en links –
is te vinden in *Berlin Alexanderplatz* (1929). In deze
modernistische collage van nieuwsberichten, re-
clameslogans, liedfragmenten, historische toe-

spraken en verschillende perspectieven vertelt
Alfred Döblin (1878-1957) het verhaal van Franz
Biberkopf, een vrijgelaten crimineel die vergeefs
probeert om 'braaf te blijven'. Het boek werd in
1933 samen met vele andere 'anti-Duitse' titels
door de nationaal-socialisten op de brandstapel
gegooid, maar maakte een glorieuze comeback
toen het aan het eind van de jaren zeventig door
de cineast Rainer Werner Fassbinder tot een memorabele televisieserie werd bewerkt.

Döblin ontvluchtte Duitsland na de grote boek-
verbranding op de Opernplatz (10 mei 1933), en
hij was bepaald niet de enige. Thomas Mann,
Heinrich Mann, Bertolt Brecht, Erich Maria Remarque – allemaal gingen ze in ballingschap, aldus een einde makend aan de status van Berlijn
als de magneet van het internationale literaire leven (waardoor ook Franz Kafka, Robert Musil,
Joseph Roth, Christopher Isherwood, Vladimir
Nabokov en tientallen andere Russische auteurs
waren aangetrokken). Slechts weinige Exil-auteurs keerden na de Tweede Wereldoorlog terug
naar Berlijn, en al helemaal niet naar Oost-Berlijn, de hoofdstad van de communistische DDR.
Zij die dat wel deden, zoals de romancier Stefan
Heym of de dichter Stephan Hermlin, werden
onderworpen aan (zelf)censuur en maakten niet
zelden de Duitse deling tot onderwerp van hun
werk. Het was de Val van de Muur, in november
1989, die de literatuur in én over Berlijn nieuwe
impulsen gaf. Jonge schrijvers becommentarieer-
den in hun fictie de erfenis van de DDR, terwijl
ouderen als Cees Nooteboom en Monika Maron
de gevolgen van de Duitse hereniging integreer-
den in hun romans over liefde, rouw en existentiële frustratie.

★ Péter Nádas *Het Boek der Herinneringen* (1993); een gelaagd liefdesverhaal dat niet alleen in Hongarije en in een badplaats aan de Oostzee speelt, maar ook in Oost-Berlijn

✪ Theodor Fontane *Effi Briest* (1895); een verveelde provincievrouw vlucht in overspel en eindigt ellendig in de grote stad

♕ Katrin Askan *Aus dem Schneider* (2000); een vrouw vertelt over de tragische gevolgen van haar grootvaders keuze voor een huis in het oosten van Berlijn

◣ Heinrich Mann *Der Untertan* (1918); eerste deel van de 'Kaiserreich'-trilogie: de opkomst van een opportunist legt de zwakheden van de bourgeoisie onder Wilhelm II bloot

▲ Thomas Brussig *Helden wie wir* (1995); satire op het Oost-Duitsland van de generatie van Christa Wolf

❋ Alfred Döblin *Berlin Alexanderplatz* (1929); een man probeert zijn leven te beteren in het even bruisende als armoedige Berlijn van het Interbellum

✠ Monika Maron *Animal Triste* (1996); tegen de achtergrond van de gevallen Muur wordt het niets met de liefde van een Oost-Berlijnse paleontologe voor een getrouwde West-Duitse collega

☻ Christa Wolf *Der geteilte Himmel* (1963); Oost-Duitse klassieker over een vrouw die (fysiek) lijdt onder de deling van Duitsland

☾ Wladimir Kaminer *Russendisko* (2001); een geïmmigreerde Rus tussen de schelmen en schooiers in de krakersscene van de jaren negentig

◐ Klaus Mann *Mephisto* (1936); sleutelroman over een toneelspeler die zijn socialistische idealen opgeeft voor een carrière in nazi-Duitsland

✜ Ulrich von Plenzdorf *Die neue Leiden des jungen W.* (1972); een vader onderzoekt het leven en vooral de dood van zijn zoon

↕ Joseph Roth *Das Spinnennetz* (1923); een gedesillusioneerde ex-luitenant laat zich meeslepen door een rechts-radicale organisatie

◉ Christopher Isherwood *Mr. Norris Changes Trains* (1935); aan de vooravond van de nazi-machtsovername beleeft een sympathieke zwendelaar avonturen in de (politieke) onderwereld

◘ John Le Carré *The Spy Who Came in from the Cold* (1963); eerste optreden van de Britse dubbelspion George Smiley, op het hoogtepunt van de Koude Oorlog

❖ Cees Nooteboom *Allerzielen* (1998); een documentairemaker probeert de rouw om zijn vrouw en kind te verwerken in een stad die afrekent met het communistische verleden

■ Ian McEwan *The Innocent* (1990); psychologische spionageroman over een ingenieur die verliefd wordt op een geheimzinnige vrouw

♥ Jean-Philippe Toussaint *La télévision* (1996); een Franse Titiaan-specialist slaagt er maar niet in zijn studieverlof productief te maken

➤➤ Rachel Seiffert *The Dark Room* (2001); de eerste novelle van dit drieluik gaat over een jonge fotograaf die het leven (en de geschiedenis) alleen door de lens ziet

◆ Len Deighton *Funeral in Berlin* (1964); een arbeidersjongen wordt superspion in de Koude Oorlog

BERLIJN-CENTRUM

ALEXANDERPLATZ

RIJKSDAG

MUSEUM-INSEL

BRANDENBURGER TOR

UNTER DEN LINDEN

SCHAUSPIEL-HAUS

VOORMALIGE BERLIJNSE MUUR

Witgewassen en onbekrompen

Zwitserland is meer dan een bejaardentehuis voor wereldberoemde schrijvers. Het is ook het territorium van literaire helden als Schillers Willem Tell en Mary Shelleys monster van Frankenstein.

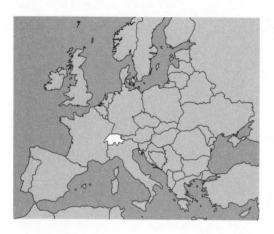

Het vredige sneeuwparadijs Zwitserland mag dan volgens Orson Welles in 500 jaar niet méér cultuur hebben voortgebracht dan de koekoeksklok, in de literatuurgeschiedenis speelt het een belangrijke rol. Niet alleen was het de laatste woon- en werkplaats van grote schrijvers als Hermann Hesse, Thomas Mann, Vladimir Nabokov, Elias Canetti en Patricia Highsmith; ook lieten (andere) buitenlandse grootheden zich inspireren door het even ruige als majestueuze landschap. Én door het heldhaftige Zwitserse verleden. Zo bewerkte Friedrich Schiller al in 1804 de stichtingslegende van het Eedgenootschap tot zijn succesrijke toneelstuk *Wilhelm Tell*, en beschreef René Goscinny het verzet van de oude Helvetiërs tegen de Romeinen in het zestiende deel van de door Albert Uderzo geïllustreerde Asterix-serie.

Zelf bracht Zwitserland een lange reeks literaire helden voort – niet verwonderlijk misschien voor een land met vier officiële talen: Duits, Frans, Italiaans en Reto-Romaans. Al wekt het verbazing dat op één importschrijver na (Jean-Jacques Rousseau) alle beroemde Zwitsers in het Duits schrijven: van de historische-novellenschrijver Conrad Ferdinand Meyer en de Nobelprijswinnende dichter Carl Spitteler tot de net-niet-Nobele Max Frisch en Friedrich Dürrenmatt. Evenals hun collega's in het naburige Oostenrijk hebben de Zwitserse schrijvers de afgelopen eeuw geëxcelleerd in het verzet tegen het verstikkende burgerdom in hun vaderland. In het werk van bijvoorbeeld Friedrich Glauser, Robert Walser en Otto F. Walter lijkt Zwitserland nog het meest op een open inrichting die wordt bewaakt door een niet altijd even gemoedelijke burgerwacht.

Toch werd de beroemdste fictie over het Alpenstaatje door buitenlanders geschreven. Niet door de Nederlander Simon Vestdijk, die om belastingtechnische redenen vier romans in de Alpen situeerde en geen daarvan in Zwitserland. Maar wel door de Duitser Thomas Mann en de Engelse Mary Shelley. De een vereeuwigde een sanatorium in Davos (en de bijbehorende sneeuwstormen) in zijn totaalroman *Der Zauberberg*. De ander liet het monster van de in Genève geboren Doctor Frankenstein rondwaren in het zuidelijke deel van het Frans-Zwitserse grensgebied – als symbool van de ellende die zich verschuilt tussen de vredige dorpjes, de sneeuwweitjes en de gesteven bergen.

★ Otto F. Walter *Der Stumme* (1959); de Zwitserse 'Avonden', over een vrijheidslievende jongen te midden van boosaardige wegarbeiders

✤ Martin Suter *Small World* (2000); de dementie van een huisbewaarder brengt de geheimen van een industriële familie in gevaar

🝊 Gottfried Keller *Die Leute von Seldwyla* (1856-1874); verzameling van meestal opgewekte novellen over kleine luiden – onder meer 'Kleider machen Leute'

🝋 Thomas Hürlimann *Das Gartenhaus* (1989); een oud-kolonel en zijn vrouw voeren een huiskamerguerrilla tegen elkaar

◑ Robert Walser *Jakob von Gunten* (1909); modelstudent boekstaaft de teloorgang van een strenge school voor huispersoneel

✪ Beate Sterchi *Blösch* (1983); moderne klassieker over een koe en een gastarbeider die slachtoffer worden van de geldzucht van een boerensamenleving

❈ Patricia Highsmith *Small g: A Summer Idyll* (1995); een jongen wordt bruut vermoord, zijn vriend moet ermee leren leven

◆ Friedrich Dürrenmatt *Das Versprechen* (1958, ook bekend als *Es geschah am hellichten Tag*); een politieman zet zelfs een meisje als lokaas in om een kindermoordenaar te pakken

◤ Johanna Spyri *Heidi* (1769); weesmeisje ontdooit opa in kil berghutje en wordt daarna vrouw van de wereld in grote stad

♛ Friedrich Glauser *Matto regiert* (1936); man in een inrichting pleegt een moord op de directeur en substituut-vader

◉ Anita Brookner *Hôtel du Lac* (1984); een romancière wordt tijdens een verplichte vakantie in Zwitserland teleurgesteld in haar romantische aspiraties

▲ Thomas Mann *Der Zauberberg* (1929); een jongen wordt intellectueel en erotisch gevormd in een bergsanatorium

◼ Max Frisch *Der Mensch erscheint im Holozen* (1979); een eenzame oude man in de bergen maakt het testament op van zijn leven

◻ Goscinny & Uderzo: *Astérix chez les Helvètes* (1970); twee dappere Galliërs bestrijden Romeinse corruptie in antiek Genève

✖ Jean-Jacques Rousseau: *Julie ou la nouvelle Héloïse* (1761); maatschappijkritische roman over een gepassioneerde (driehoeks)verhouding

♥ Rosetta Loy *Chocola bij Hanselmann* (1995); joods-Italiaanse professor duikt onder in Zwitserland, begint een relatie en pleegt een moord

❖ Mary Shelley *Frankenstein* (1818); jonge Geneefse wetenschapper schept monster dat te weinig liefde krijgt en zijn schepper vernietigt

✕ Erica Pedretti *Veränderung* (1979); een joods-Tsjechische vrouw kan na een leven van gedwongen zwerven niet aarden in een kleingeestig dorpje

⇕ Doeschka Meijsing *De weg naar Caviano* (1998); een vriendengroep met goede herinneringen aan het Lago Maggiore valt uit elkaar na de geheimzinnige verdwijning van een van hen

JURA ★
ZÜRICH ❈ ◆ MÄGENDORF
ZUG 🝊
◑ BIEL
♛ BERN
MAIENFELD ◤
INNERWALD ✪
DAVOS ▲
MEER VAN GENÈVE ◉
✖ VEVEY
TICINO ◼
♥ CHESA SILVISCINA
◻ GENÈVE
❖ RHÔNEDAL
CAVIANO ⇕

Alpendromen en Alpentrauma's

Arthur Schnitzler prikte, Thomas Bernhard fulmineerde,
Ingeborg Bachmann klaagde aan. De Oostenrijkse burgerij heeft
er altijd van zijn eigen schrijvers van langs gekregen.

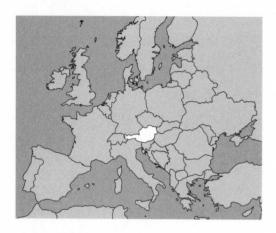

Aan het eind van de negentiende eeuw, in de nadagen van de Oostenrijks-Hongaarse dubbelmonarchie waarover Joseph Roth en Robert Musil prachtig geschreven hebben, ontwikkelde Sigmund Freud in Wenen de neurosenleer. Zijn analyse van psychische, vaak uit seksuele frustratie voortkomende stoornissen kreeg vrijwel meteen een pendant in de literatuur. Freuds vriend, de arts Arthur Schnitzler (1862-1931), beschreef in diverse toneelstukken – bijvoorbeeld *Reigen* uit 1900 – de verkniptheid en de schizofrenie van de Weense burgerij. In het later door Stanley Kubrick verfilmde *Traumnovelle* (1926) maakte Schnitzler duidelijk hoezeer de relatie van een getrouwd stel onder spanning komt te staan wanneer ze hun heimelijke seksuele verlangens onder ogen zien.

De visie van Freud en Schnitzler op de Oostenrijkse burgers – gefrustreerde mooi-weerspelers en autoritaire hypocrieten – was ook in de rest van de twintigste eeuw een van de constanten van de Oostenrijkse literatuur. De toneel- en romanschrijver Thomas Bernhard (1931-1989) werd zelfs zo berucht door zijn tirades tegen kerk, kunst en kapitaal dat zijn werk op de Weense bühne niet meer welkom was; waarna hij de eer aan zichzelf hield door in zijn testament vast te leggen dat zijn stukken nooit meer in Oostenrijk gespeeld mochten worden. En ook Bernhards tijdgenoot Ingeborg Bachmann (1926-1973), naamgeefster van de voornaamste literaire prijs van Oostenrijk, hekelde de fascistische tendensen in haar geboorteland – al zag zij die vooral naar voren komen in de discriminatie van de vrouw.

Bachmanns bekendste roman *Malina* gaat over een (seksueel) getraumatiseerde vrouw; maar haar hoofdpersoon is een wonder van stabiliteit vergeleken met die van *Die Klavierspielerin* van Elfriede Jelinek (de belangrijkste levende *Wiener Bürgerschreck*). Het bijtend gestileerde verhaal van Erika Kohut, een conservatoriumlerares op leeftijd die los probeert te komen van haar overheersende moeder, geeft een meedogenloos beeld van twee mensen die verstrikt zijn in een wurgende verhouding; het is ook een aanklacht tegen de kilheid en de hypocrisie van het Wenen van de zogenaamd nette middenklasse.

Je komt niet snel een normaal mens tegen in de Oostenrijkse literatuur – een enkele held uit het oeuvre van Joseph Roth en Stefan Zweig daargelaten. Het was ongetwijfeld daarom dat Marek van der Jagt (een alter ego van Arnon Grunberg) de hoofdpersoon van zijn debuutroman liet rondlopen in Wenen. Want daar voelt een gefrustreerde en hopeloos verknipte jongeman zich thuis als een smokkelaar in een reuzenrad.

★ Adalbert Stifter *Der Nachsommer* (1857); driedelige ontwikkelingsroman is ook een spirituele rondgang langs wetenschappen, kunst en muziek

◆ Robert Menasse *Schubumkehr* (1995); satire over een uit Brazilië teruggekeerde docent germanistiek die voor een paar maanden bij zijn moeder in een dorpje gaat wonen

✤ Robert Musil *Die Verwirrungen des Zöglings Törless* (1906); de wreedheid op een militaire jongensschool toont de mentaliteit van de mens in een totalitair systeem

◩ Hugo von Hofmannsthal *Das Salzburger grosse Welttheater* (1922); de wereld is een schouwtoneel in dit drama naar de Spaanse toneelschrijver Calderón

◑ Norbert Gstrein *Der Kommerzialrat* (1995); eenzaamheid en dood, roddel en jaloezie in een welvarend wintersportdorp

▲ Robert Schneider *Schlafes Bruder* (1992); een muzikaal begaafde verschoppeling wordt gek van gefnuikte liefde

☞ Georg Trakl *Gedichte* (1913); eerste bundel van de beroemdste vertegenwoordiger van het literair expressionisme

■ Peter Handke *Wünschloses Unglück* (1972); een schrijver verwerkt de zelfmoord van zijn moeder

↕ Hans Lebert *Die Wolfshaut* (1960); gotische heimatroman annex krimi over een man die op zoek gaat naar het oorlogsgeheim van zijn voormalige dorpsgenoten

✗ Stefan Zweig *Ungeduld des Herzens* (1938); funest medelijden van een officier voor een ziek meisje

WENEN

EISENSTADT ✤

SALZKAMMERGUT

WENEN-CENTRUM

SALZBURG ◩ ★

STEIERMARK ↕ ✗

MESCHACH ▲ INNSBRUCK ☞ ◑ MILS

TIROL

KARINTHIË ■ GRIFFEN

♥ Ingeborg Bachmann *Malina* (1971); een door haar vader getraumatiseerde schrijfster onderhoudt een relatie met twee mannen (die misschien wel helemaal niet bestaan)

❖ David Vogel *Huwelijksleven* (1930); filosofische roman over een schrijver die zich laat koeioneren door een ongetemde feeks

✖ Marek van der Jagt *De geschiedenis van mijn kaalheid* (2000); een door zijn kleine geslacht gefrustreerde jongen gaat op zoek naar een 'amour fou'

▣ Arthur Schnitzler *Traumnovelle* (1926); door Stanley Kubrick als *Eyes Wide Shut* verfilmd verhaal over een seksueel gefrustreerd echtpaar in een crisis

❀ Thomas Bernhard *Hölzfallen* (1984); een schrijver doet walgend verslag van een artistiek avondje bij een rijke componist en zijn vrouw, zonder zichzelf te sparen

✪ Elfriede Jelinek *Die Klavierspielerin* (1984); een door haar moeder klein gehouden pianolerares begint een sadomasochistische verhouding met haar leerling

GÜRTEL ♥ ✖ ❀ ❖ RING PRATER STADT-PARK ✪ HOFBURG

✇ Joseph Roth *Die Geschichte von der 1002. Nacht* (1939); een bijfiguur uit Roths beroemdste roman *Radetzkymarsch* (1932) wordt het slachtoffer van een staatsbezoek van de sjah

♛ Graham Greene *The Third Man* (1950); een smokkelaar wordt gezocht in de onderwereld van een bezette stad

Land van duizend moeders

De oude Viking-saga's zitten de Scandinavische schrijvers in het bloed. Geen land heeft zoveel trilogieën per hoofd van de bevolking als Zweden.

'Eeuwig zingen de moeders' was het motto van een recent overzichtsartikel over de Scandinavische literatuur. En inderdaad: wie de literatuur uit Zweden, Noorwegen, Denemarken en Finland beziet, stuit op een bibliotheek vol ongelukkige echtelieden en verziekte familieverhoudingen. En niet alleen in romans en op toneel halen mannen, vrouwen, moeders, zoons, broers en zusters elkaar het bloed onder de nagels vandaan. De invloed van Henrik Ibsen en August Strindberg, scheppers van ongelukkige en ongelukkig makende vrouwenfiguren als Hedda Gabler en Freule Julie, wordt ook duidelijk in de Scandinavische cinema, van Ingmar 'Scènes uit een huwelijk' Bergman tot Thomas 'Festen' Vinterberg.
Veel noordse schrijvers hebben aan één boek niet genoeg voor een afdaling in de zielenputten van hun personages; de oude Viking-saga's, met hun generaties omspannende familiegeschiedenissen,

zitten in hun DNA. Van de Noorse Nobelprijswinnares van 1928 Sigrid Undset (*Kristin Lavransdochter*) tot de grande dame van de Zweedse literatuur Kerstin Ekman ('*Katrinaholm*', 1974-1979) – allemaal waren (en zijn) ze dol op tri- en tetralogieën. Het onwaarschijnlijke succes van Marianne Fredrikssons *Anna, Hanna en Johanna* is door de Nederlandse Scandinaviëkenner Kester Freriks verklaard uit het feit dat het eigenlijk een trilogie is die is samengebald tot een roman.
Behalve door relationele pijn – en zoals in ieder land: verstikkende religie – wordt het leven van Scandinavische romanfiguren bepaald door de overdonderende natuur. De vakantieganger die een boek wil lezen op de plaats waar het zich afspeelt, heeft ruime keus: Hamsuns *Mysteriën* aan de fjordenkust, Lindgrens *Pippi Langkous* op het Zuid-Zweedse platteland, Grøndahls *Virginia* in Jutland, Paasilinna's *Gifkokkin* tussen de duizend meren in Finland; zelfs voor sommige sprookjes van Andersen moeten nog wel geschikte leeslocaties te vinden zijn.

De beste tip voor Noorwegengangers is natuurlijk *Nooit meer slapen* van W.F. Hermans. Diens alter ego Alfred Issendorf wordt vernederd in kneuterig Oslo en uiteindelijk gesloopt in het onbarmhartige hoge noorden. Hem zullen we, net als Nils Holgersson (de beroemde schepping van Selma Lagerlöf) en de titelheldin uit Peter Høegs *Smilla's gevoel voor sneeuw*, weer tegenkomen op de volgende kaart, wanneer de blik zich richt op de literatuur rondom de poolcirkel.

★ Knut Hamsun *Mysteries* (1892); een vreemdeling met een jonge-Werther-complex zet een Noors kustplaatsje op stelten

■ Sigrid Undset *Kristin Lavransdochter* (1920-1921); een non-conformiste tussen de keuterboeren en grootgrondbezitters van veertiende-eeuws Noorwegen

⇕ Lars Gustafsson *Gedichten* (vertaald door J. Bernlef), waaronder 'Ballade over de voetpaden in Västrianland'

◪ Henrik Ibsen *Peer Gynt* (1867); drama in verzen over een legendarische egoïstische romanticus in verschillende stadia van zijn leven

✪ Maj Sjöwall & Per Wahlöö *De lachende politieman* (1971); een van de tien thrillers over Martin Beck, rechercheur in een falende welvaartsmaatschappij

♥ August Strindberg *De rode kamer* (1879); een ambitieuze jonge schrijver wordt opgeslokt door het kapitalistische burgerdom

♛ Marianne Fredriksson *Anna, Hanna en Johanna* (1996); generatieroman over sterke vrouwen

⊖ Willem Frederik Hermans *Nooit meer slapen* (1966); ambitieuze geoloog wordt vernederd door een Noorse professor (en gaat daarna teloor in het echte hoge noorden)

✤ Jens Christian Grøndahl *Virginia* (2000); een man denkt terug aan de oorlog, toen hij ongewild de Engelse piloot verried op wie zijn vriendinnetje verliefd was

▢ William Shakespeare *Hamlet* (1601); prins op kasteel 'Elsinore' wacht erg lang met het wreken van de moord op zijn vader

❖ Karen Blixen *Anecdotes of Destiny* (1958); vijf sterke Deense verhalen, waaronder ook 'Babettes feestmaal', over een Franse kok in een *Noors* fjordendorp

☾ Rose Tremain *Music & Silence* (1999); veelstemmige roman over een Engelse luitspeler aan het hof van de melancholieke Christian IV (eind zeventiende eeuw)

▲ Per Olov Enquist *Het bezoek van de lijfarts* (1999); liefdes en intriges aan het hof van de geesteszieke koning Christian VII (18de eeuw)

◆ Peter Høeg *Smilla's gevoel voor sneeuw* (1992); een eigenzinnige Kopenhaagse onderzoekt de dood van haar buurjongetje

❋ Frans Eemil Sillanpää *Vrome ellende* (1919); machtsmisbruik van de overwinnaars in de burgeroorlog van 1918

✗ Arto Paasilinna *De gifkokkin* (1988); een oud vrouwtje gaat de strijd aan met drie losgeslagen jongens

➤➤ Selma Lagerlöf *Nils Holgerssons wonderbare reis* (1906-1907); onuitstaanbaar joch verandert in kabouter en betert zijn leven tijdens een reis op de rug van een gans

◑ Göran Tunström *Hoog bezoek* (2000); beroemde Amerikaanse astronaut ontregelt klein stadje

◉ Henning Mankell *Dwaalsporen* (1995); inspecteur Kurt Wallander onderzoekt een zelfverbranding

✖ Astrid Lindgren *Pippi Langkous* (1945-1948); korte verhalen over een eigenwijs, supersterk, alleenwonend meisje en haar twee doodgewone buurkinderen

FINLAND

ZWEDEN

NOORWEGEN

DENEMARKEN

VÄSTRIANLAND

JUTLAND

GUDBRANDSDAL

★ MOLDEFJORD

LILLEHAMMER

OSLO

SUNNE

MÅRBACKA

STOCKHOLM

SCHEREN-ARCHIPEL

✗ HARMISTO

HELSINKI

VIMMERBY

HELSINGØR

RUNGSTED

KOPENHAGEN

YSTAD

Hoe koud het was en hoe ver

Boven de 65ste breedtegraad begint een andere wereld,
met lange nachten, lage temperaturen, stugge mensen
en sombere boeken.

'Hier heeft de wintervorst zijn zetel opgeslagen; / Hier is zijn erf, zijn rijk! Hier zijn geen lentedagen [...] / Een altoos graauwe lucht weegt drukkende op de stranden; / Hier houdt geen sterv'ling 't uit; hier komt geen Noorman landen; / Geen andre plek op aard, hoe karig ook bedeeld, / Is zo ellendig naakt, zo arm aan groei en teelt.'

Aldus Hendrik Tollens, de negentiende-eeuwse Dichter des Vaderlands, in zijn ijzingwekkende 'tafereel' *De overwintering der Hollanders op Nova Zembla in de jaren 1596 en 1597*. Het 718-regelig verslag van de gestrande tocht van Heemskerk en Barentsz om de Noord won in 1819 de gouden medaille van de Maatschappij van fraaije Kunsten en Wetenschappen; het is nog steeds een van Neêrlands meest tot de verbeelding sprekende evocaties van de poolwinter en van de ontberingen die gepaard gaan met een verblijf in het hoogste noorden. Alleen Willem Frederik Hermans zou honderdvijftig jaar later in *Nooit meer slapen* de polaire wanhoop nog voelbaarder maken – waarbij de middernachtzon en de steekmuggen de plaats innamen van Tollens' poolnacht en ijsberen.

Een 'rampzalig oord, misdeeld van elken zegen' noemde Tollens het eiland Nova Zembla. De meeste anderen die over het gebied rondom de noordpoolcirkel hebben geschreven, zijn het met hem eens, al prijst een enkeling de woeste ledigheid van het landschap. In het archetypische poolcirkelboek zijn de nachten lang, de temperaturen laag, de sneeuwjachten dodelijk en de mensen stug – of ze nu in Groenland, Alaska of IJsland wonen. Een roman die zich afspeelt in het noorden van Noorwegen vertoont meer overeenkomsten met een roman over Siberië dan met een roman die is gesitueerd rond de hoofdstad Oslo. Rond de 65ste breedtegraad begint een ander land.

Vrolijk zijn de verhalen over het hoge noorden dus niet. Op een enkele kinderboekenschrijfster en schrijvende stand-up comedian na, richten de sneeuw-en-ijsschrijvers zich op dood, desillusie en verderf. Soms, zoals in het geval van de naar Siberië verbannen Russen Solzjenitsyn en Sjalamov, kan dat ook niet anders: in de goelag liepen nu eenmaal weinig koetjes en kalfjes rond. Maar ook de geboren noorderlingen gebruiken de poolwinter vooral als decor voor moord en doodslag. Wie de psychologische misdaadromans van Peter Høeg (*Smilla's gevoel voor sneeuw*) en Kerstin Ekman (*Zwart water*) heeft gelezen, is hard toe aan het enige ijszeeverhaal waar hartelijk om te lachen valt: *Astérix et la grande traversée* (1975), met de beroemde eerste 'witte bladzijde' over Noorse ontdekkingsreizigers in de mist.

★ Jack London *The Call of the Wild* (1903); een Californische sint-bernardshond ontdekt zijn natuurlijke instincten in de Klondyke

✪ Varlam Sjalamov *Berichten uit Kolyma* (1978); autobiografische verhalen over het leven 'aan de grenzen van het menselijke' in een (post-)stalinistisch werkkamp

⊂ Aleksandr Solzjenitsyn *Een dag van Ivan Denisovitsj* (1962); een relatief gelukkige dag uit het leven van een dwangarbeider in de goelag

♥ Elias Lönnrot *Kalevala* (1835-1836); gereconstrueerd volksepos over de strijd om een voorspoedbrengend voorwerp

◪ H.C. ten Berge (ed.) *Mythen en fabels van noordelijke volken* (1987); driedelige verzameling van vertaalde volkssproken

■ Hendrik Tollens *De overwintering der Hollanders op Nova Zembla* (1819); heldendicht over de gedoemde tocht van Heemskerk en Barentsz om de Noord

♛ Louis Ferron *Karelische nachten* (1989); een succesvol schrijver roept zijn vaders oorlogsverleden aan het oostfront op

✆ Peter Høeg *Smilla's gevoel voor sneeuw* (1992); een eigenzinnig type onderzoekt de dood van haar buurjongetje en stuit op een schandaal in Thule

❀ Selma Lagerlöf *Nils Holgerssons wonderbare reis* (1906-1907); een luie pestkop wordt een betere jongen door zijn reis op de rug van een gans

✚ Jane Smiley *The Greenlanders* (1988); de Noorse nederzettingen in het Nasarsuaq van de tiende eeuw

Ⅹ Kerstin Ekman *Zwart water* (1993); de doorwerking van een onopgeloste, gruwelijke moord op twee buitenlandse kampeerders in Svartvattnet

▣ Anoniem *De saga van Njál* (ca 1200); de avonturen van de titelheld en Gunnar van het Heuveleinde - geweld en rechtspraak op het breukvlak van heidendom en christendom

◑ Torgny Lindgren *Het licht* (1987); het middeleeuwse dorp Norsjö valt ten prooi aan de pest

❖ Hallgrímur Helgason *101 Reykjavik* (2001); een oversekste komediant op zoek naar het 'echte leven' komt het huis van zijn moeder niet uit

▲ Peter Stamm *Ungefähre Landschaft* (2001); fraai geschreven psychologische roman over een vrouwelijke douanebeambte in crisis

◉ Willem Frederik Hermans *Nooit meer slapen* (1966); een ambitieuze geoloog verliest al zijn illusies in het hoge noorden

» Mikael Niemi *Popmuziek uit Vittula* (2000); een bergbeklimmer herinnert zich zijn jeugd in het hoge noorden en zijn vriendschap met een wonderlijke jongen

↕ Halldór Laxness *Onafhankelijke mensen* (1934-1935); faulkneriaanse satire over een schapenhoeder die vergeefs en te allen prijze zijn zelfstandigheid verdedigt

◆ Herbjörg Wassmø *Het boek Dina* (1987); een vrijgevochten vrouw in de Noorse negentiende eeuw

ALASKA

CANADA

SIBERIË

WESTELIJK HALFROND   OOSTELIJK HALFROND

NOORDPOOL

RUSLAND

GRENS LANDIJS

NOVA ZEMBLA

GROENLAND

FINNMARK

LAPLAND   KARELIË

POOLCIRKEL

IJSLAND

SCANDINAVIË

De Poolse sterren

'Let Poland be Poland' riep in de jaren tachtig een Amerikaanse president. Want weinig landen zijn zo vaak van omvang en territorium veranderd als dat tussen Duitsland en Rusland.

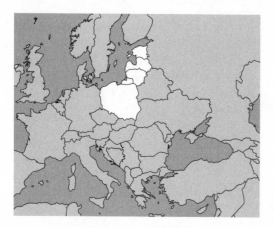

Voor een middelgroot land (tegenwoordig rond de veertig miljoen inwoners) leverde Polen een opvallend groot aantal winnaars van de Nobelprijs voor literatuur: Henryk Sienkiewicz (1905), Władisław Reymont (1924), Isaac Bashevis Singer (1978), Czesław Miłosz (1980) en Wisława Szymborska (1996). Je kunt zeggen dat het rijtje geflatteerd is, want Singer schreef in het Jiddisch en woonde sinds 1935 in de Verenigde Staten, en Miłosz werd geboren in een gebied dat tegenwoordig Litouws is. Je kunt ook zeggen dat het langer had kunnen zijn, want tussen Reymont en Singer was best plaats geweest voor Witkiewicz en Gombrowicz – of anders wel voor Bruno Schulz (1892-1942), die als kind van joodse Polen in de huidige Oekraïne werd geboren. In plaats van Szymborska had ook de verwante dichter Zbygniew Herbert (1924-1998, geboren in de Oekraïne) de Nobelprijs kunnen krijgen. En wat te denken van Günter Grass, de laureaat van 1999? Hij is Duits, hij schrijft in het Duits, maar hij had een Poolse moeder en is geboren en getogen in het Poolse-daarna-Duitse-en-nu-weer-Poolse Gdansk.

Het mag duidelijk zijn: de roerige geschiedenis van Polen, met al zijn delingen en territoriale herschikkingen, heeft ook de literaire landkaart er niet overzichtelijker op gemaakt. De schrijvers zelf hebben daar geen last van, die wonen in hun taal en beperken zich in hun werk meestal niet tot hun geboortestreek. Vandaar dat Szymborska en Herbert, in wier werk Poolse locaties een marginale rol spelen, op de bijgaande kaart niet voorkomen.

Dat zich in Polen veel *buitenlandse* boeken afspelen, heeft een andere historische reden: de jodenvervolging tijdens de Tweede Wereldoorlog. Zuid-Polen, meer precies Auschwitz, was het centrum van de Duitse vernietigingsindustrie, en zorgde na de oorlog voor een groot aantal literaire kampgetuigenissen, waarvan Primo Levi's *Is dit een mens?* (1947) de bekendste is. Veel fictie – een van de criteria voor opname in deze Literaire Atlas – zit daar niet bij; tot de uitzending van de televisieserie *Holocaust* in de jaren zeventig rustte er een taboe op het fictionaliseren van de shoah. Art Spiegelmans dierenstrip *Maus*, waarin de joden muizen en de nazi's katten zijn, is de geschiedenis van zijn ouders; de roman *Onbepaald door het lot* van Imre Kertész is een nauwelijks verhulde autobiografie; en *Schindler's Ark* van Thomas Keneally is gebaseerd op het ware verhaal van Oskar Schindler. Blijft alleen *Bruchstücke* van de Zwitser Binjamin Wilkomirski over: in 1995 gepresenteerd als getuigenis van Auschwitz, bleek het binnen enkele jaren geheel verzonnen te zijn – door een auteur die noch jood noch kampslachtoffer was.

★ Henning Mankell *Honden van Riga* (1992); de Zweedse inspecteur Wallander onderzoekt de moord op een collega in bezet Letland

✪ Jaan Kross *De kring van Mesmer* (1995); een groep studenten wordt gemangeld tussen de Russische en Duitse bezetting van 1939-1943

◉ Czesław Miłosz *Het dal van de Issa* (1955); de latere Poolse Nobelprijswinnaar bezingt zijn geboortestreek in een autobiografische roman

◪ Witold Gombrowicz *Ferdydurke* (1937); parodie op een filosofische vertelling over een schrijver die op zoek is naar zijn eigen ik

▲ Adam Mickiewicz *Pan Tadeusz* (1834); humoristisch epos over een vete tussen twee adellijke negentiende-eeuwse families in het Poolse groothertogdom Litouwen

♥ Michel Tournier *Le roi des aulnes* (1970, 'De elzenkoning'); een Frans buitenbeentje laat zich verleiden door het nazidom en komt op het jachtslot van rijksmaarschalk Göring terecht

❂ Günter Grass *Die Blechtrommel* (1959); in deel 1 van de 'Danziger Trilogie' vertelt de dwerg Oskar Matzerath over zijn jeugd in Danzig tijdens de opkomst van de nazi's

◆ Henryk Sienkiewicz *De Teutoonse ruiters* (1900); historische avonturenroman over de 14de-eeuwse strijd tussen Poolse, Pruisische en Litouwse ridders

❖ Stanisław Witkiewicz *Onverzadigbaarheid* (1930); in de niet al te verre toekomst probeert een Poolse individualist vergeefs de Chinese communistische hordes tegen te houden

♛ Anna Bolecka *Een witte steen* (1994); magisch-realistisch beeld van een multicultureel dorpje in negentiende-eeuws Oost-Polen

◘ Marek Hłasko *De achtste dag van de week* (1956/1963); de onmogelijke praktijk van de liefde onder het stalinisme

❋ I.B. Singer *The Magician of Lublin* (1960); oorspronkelijk in het Jiddisch geschreven fabel over een goochelaar die een gooi naar het hogere doet

❖ Jerzy Kosinski *The Painted Bird* (1965); de omzwervingen van een joods jongetje op het Poolse platteland tijdens de shoah

☭ Art Spiegelman *Maus* (1992); dierenstrip over een tekenaar die de concentratiekampbelevenissen van zijn ouders beschrijft

◑ Władysław Reymont *De boeren* (1902-1909); vierdelig naturalistisch epos over een hopeloze driehoeksverhouding op het platteland bezorgde de auteur in 1924 de Nobelprijs

↕ Tomek Tryzna *Meisje Niemand* (1987); een dorpsmeisje moet kiezen tussen twee stadse vriendinnen die staan voor vrijheid of materialisme

■ Imre Kertész *Onbepaald door het lot* (1975); een puberjongen boekstaaft met even pijnlijke als absurdistische nuchterheid zijn ervaringen in het kamp

✗ Binjamin Wilkomirski *Bruchstücke* (1995); pseudo-autobiografische roman over een jeugd in het concentratiekamp en een naoorlogs weeshuis

⏩ Andrzej Stasiuk *De witte raaf* (1995); de hellevaart van vijf mannen die in een bar winterlandschap hun vriendschap op de proef stellen

ESTLAND

TARTU ✪

★ RIGA
LETLAND

LITOUWEN

VILNIUS ◉

ROMINTEN ♥

GDANSK ❂
◆ MALBORK
▲

POLEN
◪

LODZ ❖
◘ WARSCHAU ♛
❋ LUBLIN

✈ SWIDNICA
◑

■ ☭ ✗ KRAKOW
AUSCHWITZ
GALICIË ⏩

De Rus zag 't

De Sovjet-Unie (1917-1991) is uiteengevallen. Maar Rusland is nog steeds groot, en haar literaire erfgoed doet daar niet voor onder.

Voor hoeveel lezers zou de Russische literatuur begonnen zijn met *Michel Strogoff, de koerier van de tsaar*? De avonturenroman van de Franse schrijver Jules Verne was niet alleen een van de spannendste 'blauwe bandjes' uit de kinderboekenkast, maar wekte ook nieuwsgierigheid naar het weidse land dat erin beschreven werd. Alleen door het lezen van boeken kon je meer te weten komen over intrigerende plaatsen als Nizjni-Novgorod, de Oeral en de moerassen van Baraba, of over vreemde volkeren als Tataren en kozakken. Van *Michel Strogoff* was het een kleine stap naar *Taras Boelba* van Nikolaj Gogol en de gecondenseerde versie van Pasternaks *Dokter Zhivago*. Daarna was je rijp voor de duivelse avonturen van Boelgakovs *Meester en Margarita* in Moskou en natuurlijk voor Dostojevski's *Misdaad en straf* (Inspector Columbo in Petersburg).

'Een realist op een hoger niveau' noemde Dosto-jevski zichzelf: 'ik beschrijf alle dieptes van de menselijke ziel.' Net als Tolstoj, Gontsjarov en zijn andere collega's uit de negentiende eeuw maakte hij deze claim waar. De Russen kwamen op plaatsen die de meeste andere schrijvers niet bereikten. Zij zagen de mens in al zijn ijdelheid (Gogols *Dode zielen*), zijn zwakte (Tolstojs *Anna Karenina*), zijn vergeefsheid (Gontsjarovs *Oblomov*), zijn existentiële verwarring (Lermontovs *Held van onze tijd*), en zijn nietigheid (Tolstojs *Oorlog en vrede*). Eén belangrijke vraag rijst uit al deze boeken op: Hoe moet men leven? Het antwoord kwam nooit en is onverminderd actueel.

Bij buitenlandse schrijvers die hun boeken in Rusland situeren, spelen doorgaans andere kwesties. Jules Verne moest anno 1876 aannemelijk maken dat Michel Strogoff – ondanks alle Russische gevaren – de brief van de tsaar veilig naar Siberië had gebracht. De Britse en Amerikaanse thrillerschrijvers van driekwart eeuw later gebruikten Moskou als brandpunt voor spionageverhalen over de Koude Oorlog, waarin de grens tussen goed en kwaad moeilijk te trekken viel. En de Nederlanders? Die zijn hoegenaamd niet geïnteresseerd in Rusland als decor voor hun romans en verhalen. Naast *Boris* van Jaap ter Haar en *Liebmans ring* van Pieter Waterdrinker (beide te vinden op kaart 33), is er maar één Nederlandse roman waarin Rusland, of liever Petersburg, een belangrijke rol speelt: *Sint-Petersburg* van Theun de Vries, die zijn fascinatie voor Rusland ongetwijfeld bij de Communistische Partij Nederland heeft opgedaan.

★ Nikolaj Gogol *Dode zielen* (1842); een zwendelaar reist met slim plan door de provincie

↕ Jules Verne *Michel Strogoff* (1876); stoere held reist als koerier van de tsaar door gevaarlijk negentiende-eeuws Rusland

C Ilf & Petrov *De twaalf stoelen* (1928); de jacht op een schat legt de absurditeiten van de Sovjet-Unie bloot

◪ Aleksandr Solzjenitsyn *In de eerste cirkel* (1968); het relaas van drie intellectuele politieke gevangenen

▲ Venedikt Jerofejev *Moskou op sterk water* (1970/1977); een dronkaard peilt de bodem van de Russische ziel

☮ Anton Tsjechov *De kersentuin* (1904); allegorisch toneelstuk over een landgoed dat teloorgaat door koppig conservatisme en verkwisting

✿ Lev Tolstoj *Oorlog en vrede* (1864-1869); epische roman over vijf families tijdens de oorlog van Rusland tegen Napoleon

❖ Ivan Toergenjev *Vaders en zonen* (1862); een jonge idealist en zijn vriend tarten de oudere generatie van tsaristisch Rusland

◆ Nikolaj Leskov *Lady Macbeth uit het district Mtsensk* (1865); verhaal over een overspelige vrouw die onder meer haar kind en echtgenoot vermoordt

◻ Michail Sjolochov *De stille Don* (1929); vier delen geromantiseerde geschiedenis van de kozakken tijdens oorlog en revolutie

↤ Ivan Boenin *Het leven van Arsenjev* (1933); proustiaans beeld van de teloorgaande adel bij Voronezj

❖ Michail Lermontov *Een held van onze tijd* (1839-1840); een soldaat verkent de grenzen van de vrije wil

Ⅹ Andrej Platonov *Tsjevengoer, roman van een stad* (1929/1979); chaos en communisme gaan hand in hand in deze satire op de sovjetisering

ST. PETERSBURG
(ZIE KAART 33)
VOSKRESENSK
VIZJNI VOLOTSJOK
MARFINO
NIZJNI-NOVGOROD
MOSKOU
BORODINO
DON
ORJOL
VORONEZJ
WOLGA
KAUKASUS
OERALGEBERGTE

➤➤ Michail Boelgakov *De meester en Margarita* (1940/67); magisch-realistische satire over schrijvers onder Stalin voert onder meer de duivel ten tonele

MOSKOU-CENTRUM

PATRIARCH-VIJVER
KREMLIN
MOSKVA
GORKI-PARK

◉ Anatoli Rybakov *Kinderen van de Arbat* (1966/1987); documentaire roman over stalinistisch Rusland in de jaren dertig

✿ Boris Pasternak *Dokter Zhivago* (1957); twee geliefden, verenigd en gescheiden door de Russische revolutie

◑ Martin Cruz Smith *Gorky Park* (1981); detective Arkady Renko waadt door een poel van corruptie en lost een drievoudige moord op

♥ John Le Carré *The Russia House* (1990); spionage- annex liefdesverhaal dat zich afspeelt tijdens de perestrojka

♛ Vasili Aksjonov *Een Moskouse sage* (1992, 'Generaties van de winter'); drieluik over een familie onder het communisme

Dromers in Neva-land

Lopende neuzen, levende standbeelden, labiele studenten –
literair Petersburg (alias Leningrad alias Petrograd) heeft vreemde
kostgangers.

'Een stad van steen, triomf en tranen' luidde het oordeel van de twintigste-eeuwse dichteres Anna Achmatova over de plaats waar ze letteren studeerde; en volgens Fjodor Dostojevski (1821-1881) was Petersburg de meest bedachte stad die er bestond. Beide schrijvers doelden op de geschiedenis van 'Sankt-Pieterboerg', dat op last van tsaar Peter de Grote – en ten koste van honderden levens – werd neergeplant op 101 eilanden in de delta van de Neva; om in de drie eeuwen daarna herhaaldelijk getroffen te worden door overstromingen, revolutie, oorlog en naamsveranderingen. Sint-Petersburg werd Petrograd in 1914, werd Leningrad in 1924, en heeft sinds 1989 zijn oorspronkelijke naam terug.

Petersburg is een droom, liet Dostojevski een van zijn personages zeggen; en hoewel dat niet letterlijk waar is, lijkt de moerashaven aan de Finse Golf een soort koortsige, surrealistische literatuur te genereren. In het Petersburg van Poesjkin

(1799-1837) komt een ruiterstandbeeld van zijn sokkel, in dat van Gogol (1809-1852) gaat een neus aan de wandel, in dat van Dostojevski verkeert een student in een constante toestand van bewustzijnsvernauwing. Volgens de Nederlandse slavist Hans Boland, die een boek schreef over Petersburg, is schizofrenie 'de kern van wat we Petersburgse vertellingen noemen'; terwijl de droom, en het in elkaar overlopen van schijn en werkelijkheid, nog steeds het belangrijkste motief is in de moderne grotestadsroman *Petersburg* van Andrej Bjely. Zelfs de jonge Duitser Ingo Schulze sloot met zijn *33 Augenblicke des Glücks* aan bij de oude Petersburgse traditie.

'Ik heb jou lief, o Peters schepping,' dichtte Poesjkin in 1833 over de stad aan de monding van de Neva. 'Jouw strenge aanblik, statigheid, / En de Nevastroom, ontzagwekkend, / 't Graniet dat langs haar oevers leidt.' Sindsdien is Petersburg altijd een stad van dichters gebleven. Na de Gouden Tijd van Poesjkin, die ook zijn roman-in-verzen *Jevgeni Onegin* in Petersburg situeerde, kwam de Zilveren Twintigste Eeuw van Achmatova, van de classicist Osip Mandelsjtam, en van de Nobelprijswinnaar Josif Brodski. De laatste emigreerde in 1972 gedwongen naar de Verenigde Staten, en publiceerde daar verder onder de naam Joseph Brodsky. Hoewel hij niet veel gedichten meer aan zijn geboortestad wijdde, drukt zijn latere werk gemis, ballingschap en heimwee uit; heimwee naar zijn geboortestad Leningrad, waarheen de in 1996 overleden Brodsky ondanks de opheffing van de Sovjet-Unie nooit meer terugkeerde.

★ Petra Morsbach *Plötzlich ist es Abend* (1995); een gewone Russin sleept zich van man naar man en van baan naar baan in tijden van Sovjet-troosteloosheid

▲ Pieter Waterdrinker *Liebmans ring* (2001); een psychiatrische patiënt in gevecht met het noodlot

◉ Jaap ter Haar *Boris* (1966); hartverscheurend verhaal over een Russisch jongetje tijdens het beleg van Leningrad door de Duitsers

◪ Josif Brodski *Gedichten en poëmen* (1965); vroeg werk van de in Leningrad geboren Nobelprijswinnaar van 1987

◆ Ingo Schulze *33 Augenblicke des Glücks* (2000); droomachtige verhalen over een stad van schrijvers, kunstenaars en musici

♥ Helen Dunmore *The Siege* (2002); een familie probeert te overleven tijdens het beleg van Leningrad in de winter van 1941

✪ Aleksandr Poesjkin *De bronzen ruiter* (1834); gedicht over een ambtenaar die zijn geliefde verliest bij de overstromingen in het jaar 1824

✜ Andrej Bjely *Petersburg* (1913-1916); modernistische stadsroman over 1905, het jaar van de mislukte opstand tegen de tsaar

◩ Theun de Vries *Sint-Petersburg* (1992); een jongen sluit zich aan bij de 'Dekabristen', die in 1825 in opstand komen tegen de tsaar

❖ Anna Achmatova *Requiem* en *Epos zonder held* (1963); liefde, oorlog en de stalinistische terreur

---

[Kaart: SINT-PETERSBURG-CENTRUM]

PETROGRADWIJK — PETER EN PAUL-VESTING — NEVA — LADOGA-MEER — HERMITAGE — ADMIRA-LITEITS-GEBOUW — PALEIS-PLEIN — NEVSKI PROSPEKT — VOZNESJENSKI PROSPEKT — TREIN-STATION

↕ J.M. Coetzee *The Master of Petersburg* (1994); Dostojevski keert in 1869 in het geheim terug uit ballingschap om de waarheid omtrent de dood van zijn stiefzoon te achterhalen

■ Michail Lermontov *Dood van de dichter* (1837); woest gedicht waarin de Petersburgse machthebbers de schuld krijgen van de dood (in een duel) van Poesjkin

♛ Nikolaj Gogol *Petersburgse vertellingen* (1835); oplichters, gekken, dolgedraaide bureaucraten en alledaags absurdisme in verhalen als 'Dagboek van een gek' en 'De neus'

✪ Fjodor Dostojevski *Misdaad en straf* (1864); student pleegt twee moorden om zijn bovenmenselijkheid te bewijzen en wordt door politie-inspecteur tot bekentenis en boete gedreven

☪ Malcolm Bradbury *To the Hermitage* (2000); een verslag van Diderots bezoek aan het hof van Catharina de Grote wordt afgewisseld met een in de jaren 90 spelende reissatire

❋ Vladimir Nabokov *The Defence* (1930); een Petersburgse schaakkampioen verdraagt de werkelijkheid niet

Ⅹ Ivan Gontsjarov *Oblomov* (1859); een aartsluiaard verdroomt zijn leven, en mislukt in zaken en liefde

◑ Lev Tolstoj *Anna Karenina* (1877); een vrouw vlucht in een overspelige verhouding en zal het berouwen

Odessa stars

Het zijn niet alleen joodse schrijvers die de Oekraïne (vroeger een onderdeel van de Sovjet-Unie) op de kaart hebben gezet. Maar het scheelt weinig.

In zijn recentste roman *Odessa Star* gebruikt de Amsterdammer Herman Koch 'Odessa' als een symbool voor het stoere gangsterleven waarnaar zijn hoofdpersoon hunkert. De Oekraïense havenstad zelf komt in het boek niet voor, maar het is duidelijk dat het dé plaats is voor misdadigers om vakantie te vieren. Misschien heeft Koch zich goed gedocumenteerd en gaat een beetje boef tegenwoordig waterskiën op de Zwarte Zee; maar het is eigenlijk aardiger om te denken dat de schrijver zich heeft laten inspireren door de beroemde verhalen die Isaac Babel (1894-1940) wijdde aan het joodse getto in zijn geboortestad. Schilderachtiger dan de gangsters daar kunnen zelfs de antihelden uit de films van Quentin Tarantino niet zijn.

In de tijd van Babel was de Oekraïne het centrum van de Oostjoodse cultuur. Odessa is de locatie van een van de bekendste Jiddische romans, *Manke Fisjke* van Mendele Mojcher Sforim (die in 1997 als eerste titel in de Jiddische Bibliotheek van uitgeverij Vassallucci uitkwam). In het noordelijker gelegen provinciestadje Berdytsjev plaatste Pinchas Kahanovitsj alias Der Nister ('de verborgene') zijn epos *De familie Masjber*, dat wel beschouwd wordt als de Grote Jiddische Roman. En Kiev zou nog steeds het stralende middelpunt van de Jiddische letterkunde zijn, als het niet getroffen was door twee twintigste-eeuwse catastrofes: de jodenvervolging door de nazi's in de jaren veertig en de stalinistische onderdrukking van de Jiddische cultuur vanaf 1948.

Het zijn niet alleen joodse schrijvers die de Oekraïne op de literaire kaart hebben gezet – je hoeft alleen maar te denken aan Alfred Tennyson, die de Britse helden van de Krimoorlog in een gedicht eerde; of aan Konstantin Paustovski (1892-1968), die in zijn zesdelige memoires onder meer een onvergetelijk beeld opriep van de Oekraïne ten tijde van de tsaren, de Eerste Wereldoorlog en de Russische Revolutie. Maar de joodse nalatenschap heeft wel de indrukwekkendste literatuur opgeleverd – van de verhalen van de Pool Bruno Schulz en de gedichten van de Duitstalige Roemeen Paul Celan tot de recente succesroman *Everything Is Illuminated* van de Amerikaan Jonathan Safran Foer. Dat laatste boek, waarin een magisch-realistisch verhaal over een Oekraïense sjtetl vervlochten wordt met de zoektocht van een Amerikaan naar de vrouw die zijn grootvader van de nazi's redde, is een bewijs dat nóch de Duitse pogroms nóch de stalinistische zuiveringen een eind hebben kunnen maken aan de joodse cultuur in de Oekraïne.

★ Jonathan Safran Foer *Everything Is Illuminated* (2002); geholpen door een taalverhaspelende gids zoekt een joodse Amerikaan naar de oorlogsgeschiedenis van zijn familie

✪ Der Nister (Pinchas Kahanovitsj) *De familie Masjber* (1948); Grote Jiddische Roman over de ondergang van een joodse familie

☾ Michail Boelgakov *De witte garde* (1925); de geschiedenis van een familie van contrarevolutionairen in het eerste kwart van de twintigste eeuw

♛ Andrej Koerkov *Dood en de pinguïn* (1996); zwarte komedie over een necrologieënschrijver die per ongeluk op de hitlist van de maffia terechtkomt

◪ Wilhelm Dichter *Paard van God* (1996); de gruwelen van de Tweede Wereldoorlog door de ogen van een Poolse jongen

▲ Soma Morgenstern *Der Sohn des verlorenen Sohnes* (1935); familiesaga over vrome joden en geassimileerde joden rond de Eerste Wereldoorlog

✗ Konstantin Paustovski *Verhalen* (1920-1960); een selectie uit de fictie van de Kievenaar die vooral beroemd werd met zijn memoires aan de tsarentijd en de revolutie

❋ Ivan Boenin *Het leven van Arsenjev* (1927); de levensgeschiedenis van een zwervende provinciale edelman

❻ Leopold von Sacher-Masoch *Venus im Pelz* (1870); pornografische roman over een dromer die zich onderwerpt aan een wrede meesteres

❖ Joseph Roth *Radetzkymarsch* (1932); de afstammeling van een trots geslacht gaat te gronde in een Oostenrijks-Hongaarse garnizoensplaats

◑ Edoeard Limonov *Zelfportret van een bandiet* (1983); autobiografische schelmenroman over een jeugdige delinquent in de Russische stadsjungle

▢ Bruno Schulz *De kaneelwinkels* (1934); groteske en lyrische (jeugd)verhalen over een provinciestadje

❖ Samuel Agnon *Het uithuwen van de bruid* (1931); nostalgische, in het Jiddisch geschreven verhalen over het joodse leven in de sjtetl

♦ Isaac Babel *Verhalen uit Odessa* (1925-1937); een jeugd in het bloeiende joodse getto, met schilderachtige gangsters als Benja Krik en Madame Schneeweiss

◉ D.M. Thomas *The White Hotel* (1981); erotiek en oorlogsgruwelen in een hallucinerende roman over een operazangeres die in analyse gaat bij Sigmund Freud

➤➤ Nikolaj Gogol *Taras Boelba* (1835); quasi-historische avonturenroman over een kozakkenhoofdman in de zestiende eeuw

↕ Paul Celan *Der Sand aus den Urnen* (1948); eerste bundel van de Duits-Roemeense dichter die beroemd zou worden met zijn 'Todesfuge' over de jodenvervolging

■ Mendele Mojcher Sforim *Manke Fisjke* (1888); Jiddisch volksverhaal over twee boekverkopers en een bedelaar die voor het ongeluk geboren lijkt

♥ Alfred Lord Tennyson *The Charge of the Light Brigade* (1854); heldendicht in zes strofen over de zelfmoordactie van een Brits cavalerieregiment in de Krimoorlog

✖ Anton Tsjechov *De dame met het hondje* (1899); kort verhaal over een overspelige liefde tijdens een vakantie

★ TRACHIMBROD
❋ CHARKOV
☾ KIEV
♛
✪ BERDYTSJEV
◉ BABI JAR
❻ BOECZACZ
✚❻ LVOV (LEMBERG)
▢ DROHOBYTSJ
▲ TARNOPOL
◪ BORYSLAV
↕ CZERNOWITZ
➤➤
■ ODESSA
KRIM
✖ JALTA
♥ BALACLAVA

Boheemse rapsodieën

Tsjechisch, Duits en... Frans, dat zijn de talen waarmee Jaroslav, Franz en Milan de wereld hebben veroverd. Maar hun wortels liggen in het Praag van de roerige twintigste eeuw.

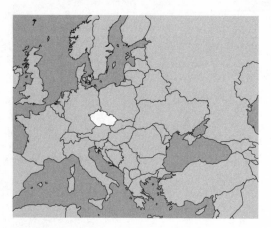

35

Praag, de parel van de Bohemen, behoort zonder twijfel tot de literairste steden van de wereld. Aangetrokken door de statige sfeer en de rijke (joodse) geschiedenis hebben tientallen buitenlandse schrijvers er hun romans en verhalen gesitueerd: van Gustav Meyrink, die een oude legende over een uit klei gemaakte wraakengel bewerkte tot *Der Golem*, tot Harry Mulisch, die zich voor *De procedure* liet inspireren door de occulte experimenten aan het hof van de zestiende-eeuwse koning Rudolf II. En ook de Tsjechische schrijvers konden niet om hun hoofdstad heen; tegenover elk boek dat zich afspeelt in het Boheemse of Moravische achterland staan er vele die op z'n minst voor een deel Praag als decor gebruiken. Het is dan ook toepasselijk dat de enige schrijver-president uit de Europese geschiedenis, Vacláv Havel, veertien jaar lang heeft gezeteld in

de Praagse Burcht op de linkeroever van de Moldau.

De Praagse literatuur heeft gebloeid in twee talen. Allereerst het Tsjechisch, dat de bouwstof is voor Jaroslav Hašeks veel geïmiteerde schelmenroman *De avonturen van de brave soldaat Svejk*, én voor de poëzie van de Nobelprijswinnaar van 1984, Jaroslav Seifert. Daarnaast het 'Prager Duits', dat de moedertaal was van geboren Pragenaars als Rainer Maria Rilke, Franz Werfel, Egon Erwin Kisch ('*Der rasende Reporter*') en Franz Kafka. In de laatste jaren is daar nog een derde taal bij gekomen: het Frans. Milan Kundera, die in de jaren zeventig naar Frankrijk uitweek wegens de communistische repressie in het toenmalige Tsjecho-Slowakije, is niet de enige Tsjech die in de taal van zijn nieuwe vaderland is gaan schrijven; hij is wel de bekendste.

Kundera ten spijt, het is die andere K waarmee Praag het meest geassocieerd wordt. De geest van Kafka, de invloedrijkste prozaschrijver sinds Cervantes, waart rond tussen de claustrofobische straatjes van de Oude Stad, in de St.-Vitusdom waar het sleutelhoofdstuk van *Der Prozess* zich afspeelt, en rond de Burcht die model stond voor het kasteel uit *Das Schloss*. Of eigenlijk ligt het anders: wie Kafka leest, projecteert de sfeer uit zijn romans en verhalen op de stad waar de schrijver leefde en werkte. Dat *Das Schloss* en *Amerika* helemaal niet in Praag spelen, en dat Praag in *Der Prozess* en *Das Urteil* niet met name wordt genoemd, doet daarbij nauwelijks ter zake.

★ Bohumil Hrabal *Zwaarbewaakte treinen* (1965); oorlogstragikomedie over een jonge spoorwegbeambte die zijn mannelijkheid wil bewijzen met een verzetsdaad

◻ Eva Kanturkova *Rouwplechtigheid* (1965); een Tsjechische Antigone wil haar tijdens de communistische collectiveringen verbannen man in zijn geboortedorp begraven

❖ Jachym Topol *Nachtwerk* (2001); twee broertjes beleven de angstige nawerking van de Russische inval van 1968

⬍ Jan Škvorećky *De lafaards* (1958); een saxofonist ziet in de laatste week van de Tweede Wereldoorlog zijn mede-Bohemers veranderen van halfhartige collaborateurs in dito revolutionairen

◼ Milan Kundera *De ondraaglijke lichtheid van het bestaan* (1984); filosofische roman over de gedoemde liefde tussen een overspelige arts en een serveerster na de communistische reactie op de Praagse Lente (1968)

✪ Jiři Krizan *Stille Pijn* (1976); het leven van een moderne Svejk in het Tsjecho-Slowaakse volksleger en zijn geknakte grootvader op het Moravische platteland

KARLOVY VARY (KARLSBAD)

PRAAG ✿

★ NYMBURK

◻ KOSTELEC ⬍

BOHEMEN

MORAVIË

✪ BRNO

◉ Jaroslav Seifert *En vaarwel!* (1984); door Jana Beranová vertaalde bloemlezing van de poëzie van de Nobelprijswinnaar

✚ ČESKE BUDEJOVICE (BUDWEIS)

❖ Jaroslav Hašek *De avonturen van de brave soldaat Svejk* (1920-1923); Praagse schelm neemt het op tegen zijn superieuren in de Eerste Wereldoorlog

▲ Eduard Mörike *Mozart auf der Reise nach Prag* (1855); op weg naar de première van zijn opera *Don Giovanni* beleeft de zwaarmoedige componist een vrolijke dag op een kasteel

◆ Harry Mulisch *De procedure* (1998); het verhaal over een leven-scheppende microbioloog wordt doorsneden met dat van de Praagse rabbi Löw en zijn golem

✗ Hermann Ungar *Die Verstümmelten* (1923); kwartet van geestelijk en lichamelijk verminkten doolt door spookstad

◉ Franz Kafka *Der Prozess* (1925); aangeklaagde man zoekt in een naargeestige stad naar zijn rechters en zijn misdaad

✽ Zuzana Brabcová *Ver van de boom* (1984); poëtische roman over een vrouw die haar dromen inzet tegen de stagnatie van Tsjecho-Slowakije in de jaren zeventig

■ Ivan Klima *Liefde en straatvuil* (1986); een van Kafka bezeten, overspelige en filosoferende schrijver werkt tijdens het communistisch regime als vuilnisman

◉ DOM
◆ BURCHT
VLTAVA
✗
♛
JOODS KERKHOF
WENCESLAS-PLEIN
KARELSBRUG
(MOLDAU)
OUDE STAD
PRAAG-CENTRUM

♛ Gustav Meyrink *Der Golem* (1915); hervertelling van oude joodse legende over een Praagse rabbi die een wrekend monster uit klei maakt

◑ Bruce Chatwin *Utz* (1988); een joodse porseleinverzamelaar tijdens de Tweede Wereldoorlog

☯ Michael Chabon *The Amazing Adventures of Kavalier and Clay* (2001); joodse goochelaarsleerling uit Praag ontsnapt aan de nazi's en wordt de populairste stripmaker van de jaren veertig

≫ Philip Roth *The Professor of Desire* (1977); een Amerikaanse academicus gaat in Praag op zoek naar zijn joodse wortels

♥ Leon de Winter *Hoffman's honger* (1990); een getraumatiseerde joodse diplomaat wordt spion in het Praag van de late jaren tachtig

Hongeren naar literaire roem

Hongarije mag niet klagen over de faam van zijn literatuur. Roemenië wel, ondanks een veel toegankelijker taal en het dubbele aantal native speakers.

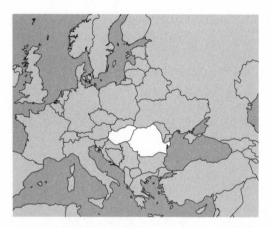

'Hongarije is een literaire grootmacht,' zei de feestredenaar Péter Esterházy in 1999, toen zijn land *Schwerpunkt* was op de Frankfurter Buchmesse; 'alleen de taal, die is een kerker.' Drie jaar later werd de celdeur op een kiertje gezet door het Nobelprijscomité van de Zweedse Academie, die haar 99ste literatuurprijs toekende aan Imre Kertész. Het Hongaars promoveerde naar de eredivisie van Nobelwaardig bevonden taalgebieden – iets wat het Nederlands, het Indonesisch, het Turks, het Hindi en het Swahili nog moeten doen – maar helemaal tevreden waren de Hongaren niet. De joodse Kertész (1929), die voornamelijk over zijn ervaringen in Auschwitz schreef, was altijd beschouwd als een vreemde eend in de bijt. Liever hadden de Magyaren de bekroning zien gaan naar een van de 'Twee Péters' die in de jaren zeventig en tachtig het postmodernisme als wapen hadden ingezet tegen de

communistische dictatuur. Maar Péter Esterházy (1950) en Péter Nádas (1942) waren waarschijnlijk te jong voor de Zweedse Academie.

Hongarije mag niet klagen, en al helemaal niet voor een obscuur taalgebied met 11 miljoen sprekers en een romantraditie die pas halverwege de negentiende eeuw uit de grond werd gestampt omdat de Magyaren zich binnen het Habsburgse Rijk als cultuurvolk wilden profileren. Vergelijk dat eens met het buurland Roemenië: twee keer zo groot, gezegend met een taal op het snijpunt van Romaans en Slavisch die door 23 miljoen sprekers (inclusief minderheden in andere landen) wordt gesproken. En toch nooit verwend met een Nobelprijs of met een romanschrijver die internationaal succes boekte. De eerste associatie van de gemiddelde lezer is daarom niet Eminescu, Cartarescu of Dinescu wanneer de Roemeense literatuur ter sprake komt, maar Dracula.

Dankzij de Ier Bram Stoker, die in 1897 het vampierverhaal *Dracula* in Transsylvanië situeerde, spreekt Roemenië literair een woordje mee in de rest van de wereld – een beetje zoals Nederland in Amerika literair vooral bekend is door *Hans Brinker or the Golden Skates* en *The Girl with the Pearl Earring*. De beroemdste Roemeense literator (afgezien van de filosoof Emile Cioran en de godsdienstwetenschapper Mircea Eliade) schreef dan ook niet in het Roemeens, maar in het Frans. Eugène Ionesco, de pionier van het absurdistische theater, woonde maar dertien jaar in Roemenië. Hij liet geen van zijn toneelstukken spelen in zijn geboorteland.

★ J. Bernlef *Publiek geheim* (1987); simpel en realistisch gestileerde roman over een oude Oostblokschrijver die zich verzet tegen de staatscensuur

■ Péter Esterházy *Harmonia Caelestis* (2001); een roman over de vader van de schrijver waaiert uit tot een eigenaardige geschiedenis van Hongarije

↕ Heinrich Böll *Wo warst du, Adam?* (1951); antioorlogsroman, gebaseerd op eigen ervaringen, deels spelend aan het oostelijk front in het laatste oorlogsjaar

✗ Sándor Márai *Gloed* (1942); twee officieren op leeftijd reconstrueren de teloorgang van hun vriendschap, veertig jaar eerder

◑ Saul Bellow *The Dean's December* (1982); een academicus uit verworden Chicago bezoekt zijn schoonmoeder in geknecht Roemenië

◪ György Konrád *Tuinfeest* (1985); dromerige mengvorm van fictie, essay en dagboeknotitie vertelt het verhaal van een politiek afstandelijke hoofdpersoon en zijn activistische vriend

✪ Magda Szabó *De deur* (1987); een schrijfster vermoordt haar werkster, een boerenvrouw met een heldhaftig (oorlogs)verleden

♥ Tibor Fischer *Under the Frog* (1993); een zwarte komedie die zich afspeelt tussen het eind van de Tweede Wereldoorlog en de Hongaarse Opstand van 1956

◉ Alexandre Vona *Blinde vensters* (1947, herzien als *Les fenêtres murées* in 1995); associatieve 'nouveau roman' over een verloren liefde

❂ Imre Kertész *Kaddisj voor een ongeboren kind* (1990); een shoah-overlever weigert om een kind op de wereld te zetten in een wereld die Auschwitz heeft voortgebracht

▲ Károly Pap *Azarel* (1930); het zoontje van een geassimileerde liberale rabbijn raakt aan lager wal

✿ Mircea Eliade *Terugkeer uit het paradijs* (1936); autobiografische roman van de beroemde sanskritist en godsdienstwetenschapper

HONGARIJE

↕ ■ ✪ ♥

DEBRECZEN ▲

✗ KARPATEN

□ KÖSZEG

★ ❂ ✪
◪ BOEDAPEST

◆ BALATON-MEER

ROEMENIË

✿ TIMISOARA

TRANSSYLVANIË ◆

✿
◑ BOEKAREST
◉

CONSTANTA ✖

♛ ➤➤

✜ Péter Nádas *Het Boek der Herinneringen* (1993); drie vervlochten verhalen over leven en liefde onder het communisme, waaronder dat van een jongen die opgroeit in de jaren 50

◙ Agota Kristof *Le grand cahier* (1986); een identieke tweeling vertelt over de gruwelen die ze tijdens de Tweede Wereldoorlog hebben doorstaan

❖ Zsuzsa Bánk *Der Schwimmer* (2002); een meisje vertelt over het lot van haar gezin als haar moeder Hongarije na de Opstand ontvlucht

☾ Herta Müller *Herztier* (1994); autobiografische roman over studenten die zich verzetten tegen de geheime dienst en die tegelijkertijd vuile handen maken

♛ Mircea Cartarescu *Travestie* (1956); in een verlaten landhuis bindt een schrijver de strijd aan met zijn demonen

◆ Bram Stoker *Dracula* (1897); adellijke Transsylvanische bloedzuiger bedreigt Engelse maagden

➤➤ Mihail Eminescu *Avondster* (1883); filosofische lyriek van Roemeniës nationale dichter

✖ P. Ovidius Naso *Tristia* (8-12 n. Chr.); een Romeinse dichter beweent zijn verbanning naar de Zwarte Zee

Balkanscènes

Oorlog is de grote constante in de literatuur van en over de Balkan, van de Slag op het Merelveld en de Eerste Wereldoorlog tot het bombardement op Belgrado en het Beleg van Sarajevo.

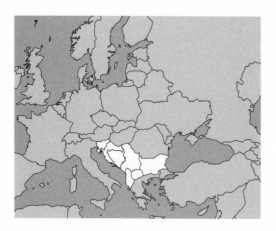

In de gastronomie is een *macedoine* een gerecht dat bestaat uit een veelheid van groenten en/of vruchten. De naam werd er halverwege de negentiende eeuw aan gegeven omdat Macedonië bekendstond als een lappendeken van volkeren en tegenstrijdige belangen. En ook tegenwoordig, nu er een onafhankelijke staat Macedonië is, geldt het gebied als een symbool voor de hele Balkan: ernstig verdeeld (er zijn ook stukjes Macedonië in Griekenland en Bulgarije), en voortdurend balancerend op de rand van etnische conflicten.

'Wie de Balkan begrijpen wil moet zich tot zijn schrijvers wenden,' schreef NRC *Handelsblad* in 1994. En niemand zal verbaasd zijn dat het vooral de oorlog is die een belangrijke rol speelt in de literatuur van voormalig Joegoslavië, Albanië en Bulgarije. Het kan de eeuwenlange oorlog tegen de Turken zijn, die in 1389 culmineerde in de beruchte Slag op het Merelveld; de Eerste Wereldoorlog, die per slot van rekening in Sarajevo is begonnen; de Tweede, waarin bovenal het Kroatische fascisme, de jodenvervolging en het Duitse bombardement op Belgrado traumatisch waren; of natuurlijk de Joegoslavische burgeroorlog van de jaren negentig, die ironisch genoeg het afgelopen decennium heeft geleid tot een opleving in het aantal vertalingen uit het Servo-Kroatisch.

Ook in het werk van de enige Nobelprijswinnaar uit voormalig Joegoslavië, Ivo Andrić (1892-1975), is de oorlog een constante, met name in zijn magnum opus *De brug over de Drina*, waarin het stadje Višegrad door de eeuwen heen beschreven wordt – inclusief de vijandige overname door achtereenvolgens de Turken, de Oostenrijkers en de Serviërs. Wie lichtere kost wil lezen, is aangewezen op *Kuifje en de scepter van Ottokar* of *Rates of Exchange* van Malcolm Bradbury. Maar dat is eigenlijk valsspelen, want het zijn allebei boeken die zich afspelen in een *fictief* land tussen de Adriatische en de Zwarte Zee.

En dan is er Albanië – gezegend met een op zichzelf staande, niet-Slavische taal, en van 1945 tot 1985 in quarantaine gehouden door de communistische dictatuur van Enver Hoxha. Eén grote schrijver heeft dat opgeleverd: Ismail Kadare, die onder meer door zijn politieke allegorie *Het dromenpaleis* (1981) in botsing kwam met de censuur, maar toch jarenlang door het regime als cultureel visitiekaartje gedoogd werd. Net vóór het ophalen van het IJzeren Gordijn emigreerde Kadare naar Parijs, waar hij nu al een tijdje wacht tot hij door de Zweedse Academie – na Andrić (1961) en de geboren Bulgaar Canetti (1981) – tot de derde Nobelprijswinnaar uit de Balkan zal worden uitgeroepen.

★ Drago Jancar *De galeislaaf* (1993); historische roman over een Duitse vluchteling die ten tijde van de 17de-eeuwse heksenvervolgingen eindigt als galeislaaf

✪ Miroslav Krleža *De terugkeer van Filip Latinovicz* (1932); een mislukte schilder keert uit Parijs terug naar zijn geboortestad

⇕ Vladimir Jokanović *Made in Yugoslavia* (1999); een etnisch gemêleerd vriendengroepje wordt door de burgeroorlog uit elkaar geslagen

◪ Slavenka Draculić *Marmeren huid* (1990); een beeldhouwster herinnert zich haar jeugd met een beeldschone moeder

▲ Dubravka Ugrešić *De sleutelroman ontsloten* (1988); thriller over een serie moorden op een literair congres (van de literatuurwetenschapster die later als essayiste bekend zou geworden)

♥ Danilo Kiš *Familiecircus* (1964-1972); drieluik over een Joegoslavisch-Hongaars gezin tegen de achtergrond van de holocaust, en vooral over een uiteindelijk weggevoerde supervader

✺ Tomas Ross *Koerier voor Sarajevo* (1996); factiethriller over de val van de door Nederlandse VN-troepen beschermde moslimenclave Srebrenica

♛ Aleksandar Hemon *The Question of Bruno* (1999); licht absurdistische herinneringen aan het Joegoslavië van Tito

☾ Aleksandar Tišma *Het gebruik van de mens* (1976); collaboratie en verzet tijdens WO II in een multicultureel stadje aan de Donau

✜ Ivo Andrić *De brug over de Drina* (1945); de multiculturele geschiedenis van de Balkan aan de hand van een Bosnische brug

✗ Péter Zilahy *De laatste raamgiraf* (1998); een in het Hongaars geschreven geschiedenis van het Oostblok in de vorm van een communistische kinderencyclopedie

◪ Milorad Pavić *De binnenkant van de wind* (1992); postmoderne roman over een zeventiende-eeuwse architect in oorlogstijd

❖ David Albahari *Moederland* (2001); autobiografische roman over een Canadese immigrant die het leven van zijn moeder terughoort op tape

■ A. den Doolaard *De herberg met het hoefijzer* (1933); een Engelse onderzoeker wordt geconfronteerd met de bloedwraak van een primitieve Albanese stam

➤➤ Ismail Kadare *De generaal van het dode leger* (1963); symbolische roman over een Italiaanse militair die twintig jaar na de oorlog gesneuvelde soldaten uit Albanië moet repatriëren

✳ Hergé *Tintin et le sceptre d'Ottokar* (1939); Kuifje verhindert de vijandige overname van een fictief Balkanstaatje

◑ Malcolm Bradbury *Rates of Exchange* (1983); een academicus raakt op drift in de fictieve staat Slaka in communistisch Oost-Europa

◉ Borislav Cičovački *Zwarte merel in een veld van pioenen* (2002); experimentele verhalenbundel over liefde in tijden van burgeroorlog

SLOVENIË
★
PANNONIË
▲ ZAGREB
RIJEKA ◪
KROATIË
OSIJER ⇕
✪ SUBOTICA
♥
☾ NOVI SAD
♛
BOSNIË-HERCEGOVINA
✗ BELGRADO
SREBRENICA ✺
VIŠEGRAD ✜
SERVIË
◪
BULGARIJE
◑
✜✜ PÉC
◉
KOSOVO
■
MACEDONIË
✳
ALBANIË
➤➤

Van kapitein Odysseus tot kapitein Corelli

Reeds de oude Grieken schreven over de oude Grieken – ook al woonden die voor een deel aan de kusten van Klein-Azië, in het huidige Turkije.

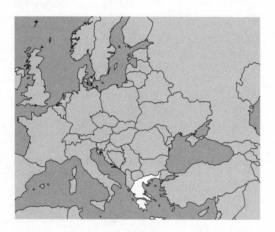

De grondlegger van de westerse literatuur was een Turk, maar hij schreef in het Grieks. Hoe anachronistisch deze stelling ook is, ze maakt in elk geval duidelijk dat de eeuwige rivalen Griekenland en Turkije literair meer gemeen hebben dan ze zouden willen toegeven. De blinde dichter Homeros (ca. 750 v. Chr.) werd geboren in de buurt van Smyrna, tegenwoordig Izmir en destijds een Griekse kolonie aan de Klein-Aziatische kust; maar hij wijdde zijn beroemde epos de *Ilias* aan een andere stad in West-Anatolië, Troje. Daarin onderscheidde hij zich van zijn moderne erfgenaam Jórgos Seferis (1900-1971), die ook in Smyrna geboren werd, maar in zijn gedichten voornamelijk zijn geboortestad bezong.

Griekenland, met zijn idyllische eilanden en zijn pittoreske overblijfselen van de Myceense en klassieke cultuur, is populairder als locatie voor literaire werken dan het ten minste zo spectaculaire Turkije, zeker als je bedenkt dat de meeste romans en toneelstukken over Klein-Azië en het Zwarte-Zeegebied (zie kaart 39) over onderwerpen uit de Griekse mythologie gaan. Bij alle (ooit) belangrijke nederzettingen in de Helleense wereld is wel een toepasselijk boek te vinden, vaak van een klassieke (toneel)schrijver. Zo vereeuwigden de tragedieschrijvers Aischylos, Sofokles en Euripides behalve hun geboorteplaats Athene ook Thebe en Mycene; terwijl de Romein Apuleius Korinthe tot middelpunt van zijn *Metamorphoses* maakte, en de Nederlander Theun de Vries het Macedonische Pella als achtergrond koos voor een roman over Euripides. De koordichter Pindaros, die in de vijfde eeuw voor Christus op bestelling overwinningszangen voor Olympische kampioenen schreef, nam de overige steden in Hellas voor zijn rekening.

Wie wat moderners wil lezen op locatie, komt algauw uit bij *Captain Corelli's Mandolin*, Louis De Bernières' Engelse bestseller over een Italiaan op een Grieks eiland vol Duitsers. Of bij de Egeïsche gedichten van de Nobelprijswinnaar Odysséas Elytis. Of, als je naar Kreta gaat, bij *De ingewijden* van Hella S. Haasse en bij *Zorba, de Griek* van Griekenlands grootste prozaschrijver Nikos Kazantzákis. Nadat deze eeuwige klassieker door de filmversie met Anthony Quinn (1964) nóg beroemder was gemaakt, werd hij trouwens geparodieerd door de striptekenaar Willy Vandersteen. In het album *Jeromba de Griek* doen Suske en Wiske grappig genoeg een poging om de Grieken met de Turken te verzoenen.

★ Theun de Vries *De wilde vrouwen van Pella* (1999); de hoogbejaarde toneelschrijver Euripides ontmoet in Macedonische ballingschap de Bacchanten

✪ Vasílis Vasilikós *Z* (1966); quasi-documentaire thriller over de moord op een parlementslid in 1963

⇕ John Fowles *The Magus* (1966); jonge Britse leraar raakt in de ban van een geheimzinnige excentriekeling

◪ Victor Hugo *Les Trois Cents* (1873); episch gedicht over de Spartaanse koning Leonidas die zich met 300 man doodvocht tegen de Perzen (480 v. Chr.)

▲ Apuleius *Metamorphoses* (ca. 160, 'De gouden ezel'); Latijnse schelmenroman over een Griek die verandert in een ezel en op zoek gaat naar rozen om de betovering te verbreken

♥ Aristofanes *Lysistrata* (411 v. Chr.); om een eind te maken aan de oorlog tussen Athene en Sparta beginnen de Griekse vrouwen in deze komedie een seksstaking

⟲ Lucius Annaeus Seneca *Phaedra* (ca 40 n. Chr.); de vrouw van de Atheense koning Theseus wordt noodlottig verliefd op haar stiefzoon Hippolytos; deze Euripidesbewerking inspireerde onder meer Vondel en Racine

☯ Louis De Bernières *Captain Corelli's Mandolin* (1995); de decennia omspannende liefde van een Italiaanse soldaat voor een bewoonster van het Griekse eiland waar hij tijdens de Tweede Wereldoorlog gestationeerd was

✠ Goscinny & Uderzo *Astérix aux jeux Olympiques* (1968); het Gallische dorp reist naar de vierjaarlijkse spelen in Olympia en hangt onderweg de toerist uit in Athene

✠ Mary Renault *The Last of the Wine* (1956); twee jongens zijn verliefd in het Athene van Sokrates en de Peloponnesische oorlog

◑ Kostas Tachtsís *Het derde huwelijk* (1962); hilarische familieperikelen tegen de achtergrond van de turbulente modern-Griekse geschiedenis

◪ Homeros *De Odyssee* (ca 700 v. Chr.); hoe de listige Odysseus na twintig jaar oorlog en avontuur (te land en ter zee) bij zijn Penelope thuiskomt

❖ Aischylos *De Orestie* (458 v. Chr.); trilogie over de moord van koningin Klytaimnestra op haar echtgenoot Agamemnon en over de wraak van Orestes op zijn moeder

♛ Odysséas Elytis *Het is waardig* (1959); lang gedicht waarin het bijbelse scheppingsverhaal verbonden wordt met de Griekse geschiedenis en de Egeïsche natuur

❀ Euripides *Ifigenia in Aulis* (408 v. Chr.); koning Agamemnon offert zijn dochter om een gunstige wind te krijgen voor de Griekse expeditie naar Troje

✖ Longos *Dafnis en Chloë* (4de eeuw); Oudgriekse herdersroman over twee verliefde vondelingen die van goede afkomst blijken

■ Nikos Kazantzákis *Zorba, de Griek* (1946); een intellectueel leert het echte leven van een vitale Griek

➤➤ Hella S. Haasse *De ingewijden* (1957); ontwortelde toeristen kruisen elkaars pad op een labyrintisch eiland

◉ Sofokles *Antigone* (442 vC); Thebaanse koningsdochter tart het wettig gezag door haar broer te begraven; tragedie inspireerde onder meer Friedrich Hölderlin en Jean Anouilh

⟻ Maria Stahlie *Honderd deuren* (1996); de helft van een onafscheidelijke tweeling wordt eindelijk volwassen

Kaart:

★ PELLA
✪ THESSALONIKI
⇕ THASSOS
LESBOS ✖
LOUTRA THERMOPYLION ◪
THIVA ◉
❀ AULIS
KORINTHE ▲
OLYMPIA
LEFKADA
ITHAKI ◪
MYCENE ❖
♥ ✠ ⟲ ATHENE
PAROS ⟻
KRETA ■
IRAKLION ♛ ➤➤

Turkse troeven

Twee grote Turkse schrijvers vechten om de aandacht van de internationale gemeenschap (en de gunst van het Nobelprijs-comité). Maar is er literair leven naast Kemal en Pamuk?

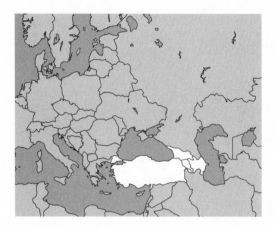

Het Turks, een zogeheten Altaïsche taal die sinds de Eerste Wereldoorlog wordt geschreven met het Latijnse alfabet, behoort met zestig miljoen sprekers tot de wereldtalen. De Turkse literatuur kent grote namen als Nâzim Hikmet (1903-1963) en Sinasi (1826-1871), en heeft een stamboom die teruggaat tot de elfde-eeuwse volksverhalen over de zanger-rover Köroglu. En toch is er de afgelopen eeuw nooit een Nobelprijs voor literatuur in Turkije gevallen.

Er zijn niettemin twee vooraanstaande kandidaten, van wie er één al jaren wacht op de bekroning door de Zweedse Academie: de in 1922 geboren Kemal Sadik Gögçeli, alias Yaşar Kemal. De Grand Old Man van de Turkse literatuur heeft het ideale Nobelprofiel: auteur van een gevarieerd en veel vertaald oeuvre (waarvan de 'Anatolische trilogie' het bekendst is), sociaal-politiek betrokken (tot in de gevangenis toe), en net als Günter Grass of Gabriel García Márquez een echte verteller, die met zijn poëtische taal en zijn sprookjesachtige fantasie een stem geeft aan de kleine man.

De andere Nobelwaardige Turk is van de nieuwe generatie: Orhan Pamuk (1952), wiens romans aan een internationale zegetocht zijn begonnen. Pamuk groeide op in een verwesterst gezin in Istanbul en begon zijn carrière met twee realistische familieromans, waarvan *Het huis van de stilte* raakte aan het thema dat hem in de rest van zijn werk zou bezighouden: de Turkse worsteling met een eigen identiteit op het breukvlak van Oost en West. Met de allegorische roman *De witte vesting* (1985), over een zeventiende-eeuwse Venetiaanse slaaf en zijn Turkse meester die van identiteit verwisselen, ontpopte hij zich als een postmodern schrijver die op een aanstekelijke manier fictie en werkelijkheid door elkaar liet lopen. Het mooist deed hij dat in de filosofische roman *Het zwarte boek*, maar ook het toegankelijker *Ik heet Karmozijn* (1998), over een moord op een tiende-eeuwse miniatuurschilder die zich verzet tegen westerse invloeden, zit vol postmoderne grapjes, waarvan de eigenaardige vertelsituatie (21 ikfiguren, waaronder een duivel en een muntstuk) er één is.

De populariteit van Pamuk en Kemal (en misschien Hikmet) in het Westen verhult hoe weinig internationale bekendheid de Turkse literatuur eigenlijk geniet. Op het kaartje hiernaast zijn slechts vijf titels Turks. De Turkijeganger die wil lezen op locatie is aangewezen op buitenlandse schrijvers, van wie een deel afkomstig is uit de Griekse wereld (die zich in de Oudheid tot ver in Turkije uitstrekte) en een ander deel zich alleen maar interesseert voor de klassieke geschiedenis.

★ Orhan Pamuk *Het zwarte boek* (1990); advocaat in Istanbul onderzoekt de verdwijning van zijn vrouw en belandt in een spiegelpaleis

✪ Jules Verne *Kéréban, le têtu* (1883); Hollandse koopman wordt door Turkse collega de Zwarte Zee rondgeleid om het geld voor de veerpont te besparen

◉ Apollonius *Argonautica* (ca 250 v.Chr.); de held Jason en de andere bemanningsleden van de Argo veroveren het Gulden Vlies en nemen de koningsdochter Medea mee

♥ Erlom Achvlediani *Vano en Niko* (1961); surrealistische verhaaltjes over twee jeugdvrienden

◪ Graham Greene *Stamboul Train* (1932); klassieke spionageroman speelt zich af op de Oriënt-Express, van Oostende tot Constantinopel

▲ Lord Byron *The Bride of Abydos* (1813); een van de 'Turkish Tales' in dichtvorm, over het ongelukkige liefdesleven van de dochter van een pasja

↕ Aziz Nesin *Yasar, de man die niet leefde* (1977); satirische roman over een man die probeert een fout in de Turkse bureaucratie recht te zetten

♛ Aischylos *Prometheus geboeid* (ca 460); de held die de mens het vuur bracht blijft het zelfs in gevangenschap opnemen tegen de oppergod Zeus

✆ W.B. Yeats *Sailing to Byzantium* (1926); een oude man mijmert over een metaforische reis naar de hoofdstad van kunst en sensualiteit

≫ John Le Carré *Single & Single* (1999); zoon verraadt vader tegen achtergrond van chaotisch postcommunistisch Georgië

KAUKASUS

KOLCHIS ◉ GEORGIË
♥ TBLISI ≫

ARMENIË AZERBEIDZJAN

◪ ✪ ★ ● ISTANBUL
ABYOS ▲ ✗ BURSA ↟ ANKARA
TROJE ✛ ◆ □ ● ANATOLIË ❖ ◐ TURKIJE
SKAMANDER
IZMIR ●

AZ.
BAKU ▲

MALATYA ●
ADANA ✗ ISKENDERUN ↤

✖ Yaşar Kemal *Mehmed, mijn havik* (1955); zoon van een arme weduwe komt in opstand en wordt bandiet en idool

❖ Homeros *Ilias* (ca 750 v.Chr.); in het laatste jaar van de Trojaanse oorlog overwint de held Achilles zijn wrok en grootste vijand

↺ De melancholieke gedichten die de Griekse Nobelprijswinnaar Jórgos Seferis (1900-1971) aan zijn geboorteplaats Smyrna wijdde

↤ Louis Couperus *Iskander* (1920); meesterlijk panorama van de Oosterse veldtochten en voorliefdes van Alexander de Grote

▣ Christa Wolf *Kassandra* (1983); lyrische bewerking van het verhaal van de Trojaanse zieneres die door niemand geloofd werd

✗ Nâzim Hikmet *Mensenlandschappen* (1941-1963); roman in verzen over een man die het Turkse volk beziet vanuit de trein en vanuit de gevangenis

■ Emine Sevgi Özdamar *Das Leben ist ein Karawanserai* (1992); een vrouw vertelt in springerig Duits over haar jeugd op het breukvlak van moderniteit en oude tradities

◆ Euripides *Hecuba* (425 v.Chr.) en *Trojaanse vrouwen* (415 v.Chr.); twee tragedies over het droeve lot van de vrouwen die bij de val van Troje werden buitgemaakt

❈ Panos Karnezis *The Maze* (2004); in de Grieks-Turkse oorlog van 1922 komt een Grieks bataljon niet weg uit een klein marquéziaans dorpje

♠ Kurban Said *Ali en Nino* (1937); de liefde van een islamitische jongen en een christelijk meisje tegen de achtergrond van de Eerste Wereldoorlog en de Russische Revolutie

❖ Sofokles *Ajax* (442 v.Chr.); tragedie over de waanzin en zelfmoord van de Griekse held Ajax, die niet kan verkroppen dat hij de wapenuitrusting van Achilles aan Odysseus moet laten

◐ Chariton *Chaireas en Kallirhoë* (ca. 200); liefde overwint alles in dit wilde liefdesavontuur – zelfs martelingen in Klein-Azië

Van kibboets naar crisis

In de moderne Hebreeuwse literatuur hebben kranige kibboets-kolonisten plaatsgemaakt voor gedesillusioneerde tobbers in de grote stad.

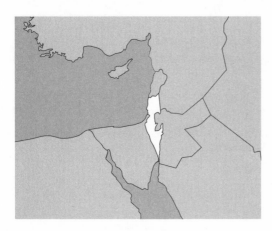

Met het immens populaire *Exodus* (1958), een geromantiseerde kroniek over de stichting van de staat Israël, zette de Amerikaan Leon Uris het naoorlogse beeld van de Europese joden op zijn kop. De roman was getiteld naar het schip dat in 1947 met 4500 joodse immigranten in Palestina aankwam en dat door de heersende Britten de toegang tot de haven werd geweigerd. Maar in plaats van willoze oorlogsslachtoffers kreeg het lezende publiek stoere, zongebruinde Israëlische pioniers voorgeschoteld die na aanvankelijke tegenslagen hun 'eigen' land op de boze buitenwereld veroverden. Uris werd er volgens joodse critici 'de voornaamste mythograaf van het zionisme' mee; hij was niet de enige. Ook Israëlische schrijvers als Abba Kovner ('*Met de gezichten tegenover elkaar*', 1953-1955) en Mosje Sjamir (*Met zijn eigen handen*, 1951) lieten in hun romans zien hoe de woestijn na de strijd tegen de Britten,

Arabieren en het droge klimaat veranderde in een aards paradijs.

Het is deze Hebreeuwse vorm van socialistisch realisme waartegen de beste moderne Israëlische schrijvers zich in de afgelopen decennia verzet hebben. Vooruitstrevende stilisten als Yaakov Shabtai en Amos Oz onttakelden de romantiek die de zionistische aartsvaders omgaf; A.B. Yehoshua liet in zijn epos *Meneer Mani* (1990) zien hoe de oude idealen in een hoog tempo teloor waren gegaan. De oorlogen tegen de Arabieren en de erfenissen van de shoah zijn nog steeds belangrijke onderwerpen in de Israëlische literatuur, maar hoeven niet iedere roman te beheersen: een schrijver als Meir Shalev heeft bewezen dat ook magisch realisme à la García Márquez in de woestijn wortel kan schieten.

In de buitenlandse literatuur over Israël – en ook die over het Arabische buurland Egypte – is het vooral de antieke geschiedenis die tot de verbeelding spreekt. Inspiratiebron bij uitstek is het Oude Testament, de eerste vindplaats van de vaak opnieuw vertelde multiculturele verhalen over Jozef en de farao, Mozes en de Exodus, en vele andere heilige reisverslagen. Wie tussen Nijl en Jordaan wil lezen op locatie, of het nu boven op de berg Sinaï is of bij de ruïnes van Memphis, kan niet om de bijbel (en de koran) heen. Wie Jeruzalem en omgeving bezoekt, moet daarnaast in elk geval het Nieuwe Testament meenemen; de stad van Abraham, Salomon en Jezus is nu eenmaal gebouwd op het fundament van drie allesoverheersende boeken.

★ Emile Habiebi *De wonderlijke lotgevallen van Sa'ied de pessoptimist* (1974); humoristische roman over een schlemielige Palestijn die na 1948 in Israël het hoofd boven water probeert te houden

✪ A.B. Yehoshua *De vijf jaargetijden van Molcho* (1988); een oude weduwnaar probeert na de dood van zijn vrouw vergeefs opnieuw verliefd te worden

X Thomas Mann *Joseph und seine Bruder* (1933-1943); politiek-allegorische bijbelvariatie over de vooruitstrevende schurk Jozef en zijn barbaarse broers

◪ Ya'akov Shabtai *Memorandum* (1977); anti-familieroman over drie bevriende ex-pioniers in de jaren zeventig beschrijft de teloorgang van de zionistische idealen

▲ José Saramago *Het evangelie volgens Jezus Christus* (1991); God speelt een gemeen spelletje met Zijn Zoon om Zijn wereldheerschappij te behouden

✼ Meir Shalev *De vier maaltijden* (1994); de getraumatiseerde huishoudster van een weduwnaar in een pioniersdorpje wordt aanbeden door drie mannen

✇ Yoram Kaniuk *Bekentenissen van een goede Arabier* (1985); zoon van een joodse en een Arabier wordt als geheim agent vervolgd door zowel joden als Arabieren

✚ Leon de Winter *De ruimte van Sokolov* (1992); thriller over twee joods-Russische ruimtevaartexperts die zich aan de vooravond van de Golfoorlog moreel met elkaar meten

◘ Edgar Keret *Pizzeria Kamikaze* (2001); absurdistische grunbergiaanse verhalen over jonge Israeli's

◆ Joost van den Vondel *Jephta of Offerbelofte* (1659); tragedie over de Israëlische 'richter' die zijn dochter opoffert aan zijn ambitie

❖ Willem Brakman *De gehoorzame dode* (1964); de wederopgestane Lazarus heeft geen goede herinneringen aan Jezus

⊂ Arnon Grunberg *De asielzoeker* (2003); een deel van deze studie in illusieloosheid speelt zich af in de bordelen en cafés van Eilat

◐ Amos Oz *Panter in de kelder* (1995); jongen wil een held worden wanneer de Britse bezetting van Palestina in 1947 ten einde komt, maar wordt van verraad beschuldigd

⊙ Joseph Heller *God Knows* (1984); de oudtestamentische Koning David overziet verleden en toekomst van de wereld en discussieert met God

⇕ Torquato Tasso *Gerusalemme liberata* (1575); heldendicht (vol liefdesavonturen) over de kruistocht van Godfried van Bouillon

♥ Muriel Spark *The Mandelbaum Gate* (1965); halfjoodse Britse komt in moeilijkheden bij haar pelgrimage naar de heilige plaatsen in verdeeld Jeruzalem

♛ Gotthold Ephraim Lessing *Nathan der Weise* (1779); ideeëndrama over een jood in de tijd van sultan Saladin (twaalfde eeuw) predikt religieuze verdraagzaamheid

✖ David Grossmann *De grammatica van het gevoel* (1991); een 12-jarige jongen probeert in de aanloop naar de Zesdaagse Oorlog (1967) het geweld van de volwassen wereld op een afstand te houden

» Philip Roth *Operation Shylock* (1993); postmoderne thriller, over 'Philip Roth' op zoek naar zijn zwendelende dubbelganger, stelt de vraag: wat nu met de joodse staat?

← Nikos Kazantzákis *De laatste verzoeking* (1955); de mens Jezus en de twijfelende verrader Judas

Map labels:

★ HAIFA
✼ NAHALAL
▲ NAZARETH
X DOTHAN
WESTELIJKE JORDAANOEVER
TEL AVIV
◆ GILEAD
JERUZALEM
✼ BETHANIË
GAZA
⊂ EILAT

JERUZALEM
ISRAËL
♥ OUDE STAD
WESTELIJKE JORDAANOEVER

Al-Iskandariyah als lichtend voorbeeld

Te midden van censuur en analfabetisme proberen moderne Arabische schrijvers het romantische beeld bij te stellen dat het Westen van de Oriënt heeft.

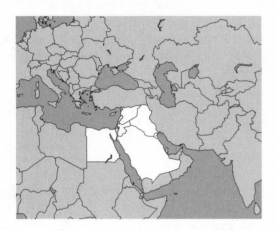

Een half miljoen boekrollen bezat de antieke bibliotheek van Alexandrië in haar hoogtijdagen. Generaties van inventieve beheerders en kapitaalkrachtige koningen hadden ervoor gezorgd dat de roem van dit baken van wetenschap en literatuur tweeduizend jaar geleden even groot was als die van de vuurtoren aan het havenhoofd. Alles aan de Bibliotheca was groter dan groot. Geen wonder dat ook de vernietiging ervan tot de verbeelding sprak. Het bekendste verhaal is dat van Julius Caesar, die in 48 voor Christus een deel van zijn oorlogsvloot in de haven van Alexandrië in brand stak om die uit handen van zijn Egyptische vijanden te houden; de vlammen zouden zijn overgeslagen op de boekendepots van de bibliotheek. Het mooiste verhaal speelt zevenhonderd jaar later, ten tijde van de Arabische verovering van Egypte door Amr ibn al-As. Toen hij zijn superieur, kalief Omar I, vroeg wat hij moest doen met de (kennelijk nog steeds grote) collectie, antwoordde die: 'Of deze boeken zeggen hetzelfde als de koran en hoeven niet bewaard te blijven omdat ze overbodig zijn; óf ze zeggen niet hetzelfde en dan moeten ze vernietigd worden.' Waarna volgens de legende de badhuizen van Alexandrië nog zes maanden gestookt konden worden met perkament en papyrus.

In de jaren negentig van de twintigste eeuw is de bibliotheek van Alexandrië (al-Iskandariyah) herbouwd, voor meer dan een kwart miljard euro. Acht miljoen boeken moeten van het immense gebouw een schatkamer maken van de Arabische wetenschap en literatuur. Maar het prestigeproject aan de Alexandrijnse boulevard kan de trieste situatie van de literaire cultuur in de Arabische wereld niet verhullen. In de meeste landen heerst (zelf)censuur; er worden jaarlijks weinig nieuwe titels geproduceerd; het analfabetisme is hoog (meer dan 40 procent), en de mensen die kunnen lezen, kiezen voor educatieve en vooral religieuze boeken. Zelfs de enige Arabische winnaar van de Nobelprijs voor literatuur, Nagieb Mahfoez, wordt meer gelezen in het buitenland dan in zijn vaderland Egypte.

Het was Mahfoez die zich eind jaren dertig – geïnspireerd door de historische romans van Walter Scott – manifesteerde als de grondlegger van de Arabische roman. In zijn trilogie over de stad Kairo (bestaande uit *Tussen twee paleizen, Paleis van verlangen* en *De suikersteeg*) beschreef hij de wording van een onafhankelijk Egypte aan de hand van de wederwaardigheden van één familie. Daarbij maakte hij en passant korte metten met het westers-romantische beeld van zijn vaderland dat schrijvers als Lawrence Durrell en Agatha Christie hadden gegeven. In het kielzog van Mahfoez kwamen er overal in de Arabische wereld schrijvers op die lieten zien dat er literair leven was na de *Vertellingen van 1001 nacht*.

★ Liana Badr *Het oog van de spiegel* (1994); een meisje groeit op in een Palestijns vluchtelingenkamp in Beiroet

☾ Thomas Mann *Joseph und seine Bruder* (1933-1943); politiek-allegorische bijbelvariatie over de vooruitstrevende schurk Joseph en zijn barbaarse broers

❋ De gedichten van Adonis (ps. van Ali Ahmad Sa'id), kampioen van het vrije vers en vernieuwer van de Arabische poëzie

◩ De nostalgische en politieke gedichten van Mahmoed Darwiesj, geëngageerd Palestijns dichter in ballingschap

✗ Norman Mailer *Ancient Evenings* (1983); een minister van de zwakke farao Ramses IX gaat terug tot zijn eerdere leven als wagenmenner van Ramses II de Grote, om zijn meester van bestuurlijke adviezen te kunnen voorzien

◐ Heinrich Heine *Belsazar* (1822); episch gedicht over de decadente Babylonische koning aan wie de 'tekens aan de wand' verschenen

◉ Anoniem *Vertellingen van 1001 nacht*; middeleeuwse Arabische raamvertelling over een ten dode opgeschreven haremdame die zich als favoriete feuilletoniste van haar meester ontpopt

♁ William Shakespeare *Antony and Cleopatra* (1606); tragedie over de liefde van de Romeinse veldheer Marcus Antonius voor de Griekse koningin Kleopatra

▲ Christian Jacq *Ramsès, fils de la lumière* (1997); eerste deel van een vierluik over de dynastie van Ramses II, de veroveraar uit de dertiende eeuw v. Chr.

✣ Konstantinós Kaváfis *Verzamelde gedichten* (1935, postuum); Griekse nostalgie en homoerotiek in de kosmopolitische havenstad Alexandrië

◘ Lawrence Durrell *'The Alexandria Quartet'* (1957-1960); de stad Alexandrië is de echte hoofdpersoon van vier romans over het jaren-dertigleven van een internationale vriendenclub

◆ Michael Ondaatje *The English Patient* (1992); een mysterieuze brandwondenpatiënt in Toscane blijkt een turbulent liefdesverleden in het Egypte van rond de Tweede Wereldoorlog te hebben

↕ Nagieb Mahfoez *'De Cairo trilogie'* (1958); Nobelprijswinnende familiesaga (vier delen) tegen de achtergrond van de Egyptische samenleving tussen 1914 en 1945

✗ Anoniem *Gilgamesj-epos* (200-1500 v. Chr.); Mesopotamische koning zoekt naar onsterfelijkheid na de dood van zijn beste vriend

❖ Ismail Kadare *De piramide* (1992); satire op de toestand in stalinistisch Albanië in de vorm van een verhaal over de bouw van de piramide van Cheops

♥ Nawal El Saadawi *God sterft aan de Nijl* (1974); oudere vrouw verzet zich tegen de (seksuele) tirannie van de potentaten in een klein Nijldorpje

♛ Ahdaf Soueif *The Map of Love* (1999); liefde overwint alles (behalve bommen en granaten) in deze dubbelroman over Egypte onder de Britten en onder president Mubarak

»» Ghassan Kanafani *Mannen in de zon* (1973); allegorische roman over drie Palestijnen die in een watertank op een vrachtwagen naar Koeweit proberen te vluchten

✪ Agatha Christie *Death on the Nile* (1937); tijdens een luxueuze cruise over de Nijl wordt Hercule Poirot geconfronteerd met een reeks geheimzinnige moorden

Map labels:

IRAK

SYRIË

LIBANON

BAGDAD

BABYLON

EUFRAAT

TIGRIS

PALESTINA

ISRAËL

JORDANIË

WARKA

KOEWEIT

ALEXANDRIË

GIZEH

KAIRO

MEMPHIS

SINAÏ

SAUDI-ARABIË

NIJL

EGYPTE

ASWAN

Dichtersdochters

Het droeve lot van Dido, de gemaltraîteerde koningin van Carthago uit de *Aeneis* van Vergilius, echoot na in de Noord-Afrikaanse literatuur.

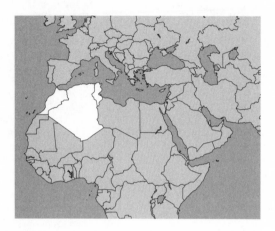

42

Misschien is het allemaal begonnen met de Romeinse dichter Vergilius. In zijn onvoltooide epos *Aeneis* laat hij de uit brandend Troje gevluchte titelheld stranden op de kust van Noord-Afrika. In het nabijgelegen Carthago wordt Aeneas gastvrij onthaald door koningin Dido, die een hopeloze liefde voor hem opvat. Hopeloos omdat Aeneas een gebonden man is: hij is in opdracht van de goden op weg naar Italië, om daar de grondlegger te worden van het Romeinse Rijk. Plichtsgetrouw tot in zijn merg, verkiest Aeneas de zaken boven het meisje. Als hij de haven van Carthago verlaat, werpt de afgewezen minnares zich op een hoge brandstapel in een door Aeneas gegeven zwaard. Stervend vervloekt ze Aeneas en roept ze de haat van haar volk over diens nazaten af. Uit haar dode botten, zo voorspelt ze, zal een wreker oprijzen, die de Trojaanse kolonisten te vuur en te zwaard zal bevechten.

Die wreker kwam er, meer dan duizend jaar later, in de persoon van de Carthaagse held Hannibal, die de Romeinen in het laatste kwart van de derde eeuw voor Christus bijna op de knieën dwong – een gebeurtenis die de pennen van historici, dichters en romanciers in beweging heeft gezet. Maar literair nog voorspellender was Dido's droeve lot. Zij is de stammoeder van een reeks tragische heldinnen die in Noord-Afrika onzacht in aanraking komen met trouweloze, heerszuchtige, door de goden verblinde mannen. Flauberts *Salammbô*, de Carthaagse generaalsdochter die het middelpunt wordt van een burgeroorlog, is er in de literatuurgeschiedenis een vroeg voorbeeld van. Anderhalve eeuw later beheersen sterke, door het fundamentalisme gemaltraîteerde vrouwen vooral de Frans-Algerijnse literatuur – of het nu in de verhalen van Assia Djebar (bekend van het in Nederland controversiële toneelstuk *Aïsha*) is, of in de romans van Malika Mokeddem, Nina Bouraoui en Leïla Marouane.

Het opkomend fundamentalisme en de dictatoriale regimes hebben de in Noord-Afrika gesitueerde literatuur er niet vrolijker op gemaakt. Wie liever een lichtere toets aangeslagen ziet worden, leze de Nederlandse schrijvers van Marokkaanse afkomst. Abdelkader Benali bijvoorbeeld, die debuteerde met een hilarische roman over huwelijksperikelen en een op hol geslagen taxichauffeur. Of Hafid Bouazza, die het succes van zijn absurdistische debuutbundel *De voeten van Abdullah* in 2003 evenaarde met de roman *Paravion*. En over luchtpost gesproken: ook het vliegeniersverhaal *Le petit prince* van Antoine de Saint-Exupéry, de koning van de lichte filosofie, heeft de Marokkaanse woestijn als achtergrond.

★ William Burroughs *Naked Lunch* (1959); collageroman over een junkie-schrijver en zijn angst voor de macht van de technologie

■ Albert Camus *La peste* (1947); de pest in een klein stadje is de katalysator van verschillende levensfilosofieën

✪ Assia Djebar *Les femmes d'Alger dans leur appartement* (1980); poëtische verhalenbundel over de onderdrukte vrouwen van de Algerijnse hoofdstad

◩ Paul Bowles *The Sheltering Sky* (1949); een driehoeksverhouding van Amerikaanse expats in de Noord-Afrikaanse woestijn

⊕ Fouad Laroui *Méfiez-vous des parachutistes* (1998); lichtvoetige filosofische roman over een man die vergeefs probeert individu te zijn

▲ Nina Bouraoui *L'âge blessé* (1992, 'De gluurster'); jonge moslima wordt door haar streng-burgerlijke ouders in huis opgesloten

✤ Tahar Ben Jelloun *L'homme rompu* (1994); een principiële Marokkaanse ambtenaar gaat uiteindelijk voor de bijl

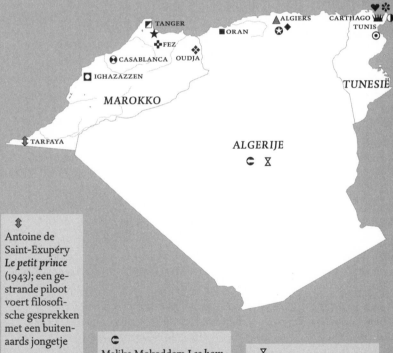

❖ Hafid Bouazza *De voeten van Abdullah* (1996); een bundel met acht licht absurdistische verhalen over een door seks beheerste jeugd in een Arabisch dorp

◆ Leïla Marouane *La fille de la Casbah* (1996); een lerares verzet zich tegen haar traditionele lot – de prijs is hoog

◪ Abdelkader Benali *Bruiloft aan zee* (1996); een Nederlandse Marokkaan moet in zijn geboorteland de gedeserteerde bruidegom van zijn zusje opsporen

♥ Publius Vergilius Maro *Aeneis* (ca 20 v. Chr.); op weg naar zijn godgegeven bestemming versmaadt de Trojaanse koningszoon Aeneas de liefde van de Carthaagse koningin Dido

✽ Gustave Flaubert *Salammbô* (1862); kleurrijk historisch epos over Carthago na de Eerste Punische Oorlog (derde eeuw v. Chr.)

♛ Francesco Petrarca *Africa* (1338-1343); Latijns heldendicht over de overwinning van Rome op de Carthagers

◑ Gisbert Haefs *Hannibal* (1990); historische roman over de Punische Oorlogen herschrijft de geschiedenis vanuit het perspectief van de verliezende partij

↕ Antoine de Saint-Exupéry *Le petit prince* (1943); een gestrande piloot voert filosofische gesprekken met een buitenaards jongetje

☾ Malika Mokeddem *Les hommes qui marchent* (1990); drie generaties vrouwen van de onafhankelijkheidsoorlog tot de opkomst van het fundamentalisme

✗ Yasmina Khadra *À quoi rêvent les loups* (1999); wat drijft een gewone jongen tot gruwelen in de burgeroorlog?

⊙ P.F. Thomése *Zuidland* (1990); het derde en langste verhaal uit deze bundel, 'Boven aarde', speelt zich af onder Hollanders in achttiende-eeuws Tunis

---

□ TANGER
★ FEZ
■ ORAN
▲ ALGIERS
✪ ◆
CARTHAGO ♥ ✽
♛ TUNIS
⊙
☾ CASABLANCA
✤ OUDJA
■ IGHAZAZZEN
MAROKKO
TUNESIË
↕ TARFAYA
ALGERIJE
☾ ✗

Tolstoj in Afrika

'Donker' Afrika, een eeuw geleden nog een witte plek op de literaire kaart, is de bron van een aanzwellende stroom postkoloniale topschrijvers.

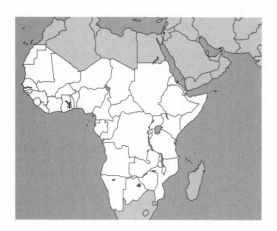

43

In Joseph Conrads *Heart of Darkness* (1899) vertelt de hoofdpersoon Charlie Marlow waarom hij als kind gefascineerd raakte door het binnenland van Centraal-Afrika: het was op de noordpool na de grootste witte vlek op de kaart die hij als ontdekkingsreiziger-in-de-dop bestudeerde. Hoewel de leegte inmiddels voor een deel was ingevuld, was zijn latere reis over de (Kongo-)rivier naar het 'hart der duisternis' allereerst bedoeld om te kijken hoe zo'n voormalige witte plek er in het echt uit zag.

Heart of Darkness is een klassieke pionierstekst – het eerste geschreven fictiemeesterwerk over Afrika tussen Sahara en Solomon Mountains. De novelle werd een ijkpunt voor tientallen schrijvers na Conrad; voor westerlingen als Frederic Prokosch en V.S. Naipaul, die het Kongo-gebied zagen als de perfecte achtergrond voor allegorische romans; maar ook voor Afrikanen, die in essays en romans probeerden om Conrads kolo-

nialistische (en zelfs vermeend racistische) beeld van 'donker Afrika' bij te stellen. Zo vertelde Chinua Achebe in drie losjes verbonden romans – *Things Fall Apart*, *No Longer at Ease* en *Arrow of God* (1958-1964) – het verhaal van de Britse kolonisatie van West-Afrika vanuit het perspectief van de onderworpenen, het Ibo-volk in Oost-Nigeria.

'Waar is de Tolstoj van de zoeloes?' antwoordde de Amerikaan Saul Bellow, auteur van de Afrikaroman *Henderson the Rain King*, toen hem gevraagd werd waarom hij zo'n etnocentrische opvatting van wereldliteratuur had. Het was een vileine opmerking, want als afgestudeerd antropoloog wist hij natuurlijk best dat het grootste deel van Afrika tot begin vorige eeuw een orale cultuur had. De Tolstoj van de Russen kwam ook pas op toen Europa al honderden jaren een literaire cultuur kende. Schrijvers als Ben Okri en Wole Soyinka (winnaar van de Nobelprijs 1986), maar ook de Franstalige Liberiaan Ahmadou Kourouma en de Oegandese Nederlander Moses Isegawa, geven een indruk van de inhaalslag die de afgelopen veertig jaar gemaakt is.

Wie nu naar Afrika reist en ter plaatse een toepasselijk boek wil lezen, heeft keus te over. Voor liefhebbers van het traditioneel-westerse beeld van Afrika als een exotische plek vol ongekende mogelijkheden zijn er klassieken als *Scoop* van Evelyn Waugh en *Gangreen* van Jef Geeraerts. Voor ieder ander zijn er de werken van een generatie postkoloniale Afrikaanse schrijvers van wie de (Nigeriaanse) grootheden Achebe en Soyinka alleen de vaandeldragers zijn.

◩ Maryse Condé *Ségou* (1984-1985); historisch tweeluik over een Malinese koningsfamilie die te maken krijgt met de opkomst van de slavenhandel, de islam, het christendom en het Franse kolonialisme

Chinua Achebe *Things Fall Apart* (1958) en *No Longer at Ease* (1960); twee romans over trotse Ibo's die zich niet willen en kunnen aanpassen aan het laat-negentiende-eeuwse kolonialisme

✪ John Updike *The Coup* (1978); een Frans-Afrikaanse dictator in een imaginair Afrika verzet zich tegen Amerikaanse invloeden – met desastreuze effecten

▲ Evelyn Waugh *Scoop* (1938); mediasatire over een natuurjournalist die per vergissing gebombardeerd wordt tot oorlogscorrespondent

✤ Graham Greene *The Heart of the Matter* (1948); een man gaat te gronde uit goedhartigheid, in een vijandige West-Afrikaanse samenleving

⊗ Wole Soyinka *The Interpreters* (1965); jonge intellectuelen bezinnen zich op de pas verworven onafhankelijkheid

☾ V.S. Naipaul *A Bend in the River* (1979); een Indiase moslim begint een zaak in een land op het punt van onafhankelijkheid en burgeroorlog

❖ Ben Okri *The Famished Road* (1991); magisch-realistische roman over een kind in tijden van democratische crisis

◆ Ahmadou Kourouma *Allah n'est pas obligé* (2000); een jongen vertelt in zijn eigen woorden hoe hij terechtkomt bij een leger kindsoldaten

NOORD-AFRIKA
(ZIE KAART 42)

EGYPTE
(ZIE KAART 41)

MALI ◩

TSJAAD

♥ Joseph Conrad *Heart of Darkness* (1898/1902); zeeman vertelt hoe hij een tot barbarij vervallen ivoorhandelaar opspoorde

★ NIGERIA ◻ ⊗ ❖

ETHIOPIË ▲

SIERRA LEONE — ✤

LIBERIA — ◆

BENIN KAMEROEN

☾ KONGO

OEGANDA ♛
KENIA ≫

★ Saul Bellow *Henderson the Rain King* (1959); miljonairszoon vindt spirituele vervulling in donker Afrika

↕ Calixthe Beyala *Les honneurs perdus* (1996); jonge vrouw verruilt de kleurrijke Afrikaanse sloppenwijk voor grauwe Franse buitenwijk

DEM. REP. KONGO ◉ ◑

■ Giles Foden *The Last King of Scotland* (1998); Engelse dokter wordt lijfarts van de jaren-zeventig-dictator Idi Amin

❈ ANGOLA

✗ ZIMBABWE

⚑ Moses Isegawa *Abyssinian Chronicles* (1998); schelm ontsnapt uit de chaos van Oeganda onder Idi Amin naar de illegaliteit in Nederland

Ⅹ William Boyd *Brazzaville Beach* (1991); avonturenverhaal annex ideeënroman over een onzekere apenonderzoekster die te maken krijgt met agressieve collega's en chimpansees

◉ Jef Geeraerts *Gangreen 1: Black Venus* (1968); de eerste van vier autobiografische romans beschrijft de liefde van een blanke man voor een zwarte vrouw én de praktijk van het koloniale regime

ZUID-AFRIKA
(ZIE KAART 44)

❈ F. Springer *Quissama* (1985); in een vervallen wildpark neemt een man zijn eigen leven de maat

◑ Frederic Prokosch *Storm en echo* (1948); een zoekende Amerikaan wordt wedergeboren in Afrika's 'heart of darkness'

✗ Doris Lessing *The Grass Is Singing* (1950); autobiografische roman over de vernietigende uitwerking van rassenscheiding in voormalig Rhodesië

≫ Ernest Hemingway 'The Snows of Kilimanjaro' en 'The Short Happy Life of Francis Macomber' (1936); twee tragische verhalen die de tegenhangers zijn van de Afrika-reportage *The Green Hills of Africa*

Hoofdstukken apart

In veel romans is Zuid-Afrika een paradijs verscheurd door raciale tegenstellingen. De afschaffing van de apartheid heeft daar weinig aan kunnen veranderen.

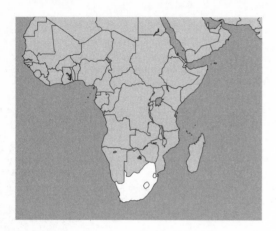

44

'Ik ben vooral een liegfabriek,' pleegt de Zuid-Afrikaanse schrijver Etienne van Heerden tegen zijn interviewers te zeggen. Dat is ironie, want tijdens de apartheid in Zuid-Afrika (1949-91) waren het juist schrijvers als hij die de leugens en de onmenselijkheid van het regime aan de kaak stelden. Indirect, zoals Van Heerden in zijn multiraciale familieroman *Toorberg* (1986) of J.M. Coetzee in zijn kafkaëske allegorie *Waiting for the Barbarians* (1980). Of direct, zoals André Brink en de latere Nobelprijswinnaar Nadine Gordimer die in hun grote romans uit de jaren zeventig en tachtig onder meer het politiegeweld, de hypocrisie van de blanke *upperclass* en de hopeloosheid van de interraciale liefde literair vorm gaven.

Het beeld van Zuid-Afrika in de fictie is dat van een paradijs verscheurd door raciale tegenstellingen – een decor voor morele kwesties en keuzes dat zijn gelijke alleen heeft in het Duitsland van de nazi's of de Sovjet-Unie van de communisten.

Geen wonder dat de Zuid-Afrikaanse literatuur, of die nu geschreven is in het Engels of het Afrikaans, bijna altijd politiek geladen is. Dat is al zo vanaf de negentiende eeuw: het genre van de '*plaasroman*', over stoere boeren die pionierden op het Afrikaanse platteland, was behalve ter verstrooiing ook bedoeld om het recht van de blanke kolonisten op hun grond te bevestigen. Alan Patons beroemde roman *Cry, the Beloved Country* speelt vóór de apartheid, maar gaat in de eerste plaats over de conflicten tussen zwart en blank in Johannesburg. En in *The Conservationist*, dat in 1974 de Booker Prize won, zette Gordimer tegenover de moraal van de klassieke *plaasroman* – 'Dit land is van ons want we hebben ervoor geleden' – een bescheidener overtuiging: 'Wij blanken hebben geen enkel recht op dit land.'

Ook na de opheffing van de apartheid ontkomen schrijvers uit en over Zuid-Afrika niet aan de politieke en raciale werkelijkheid, zoals blijkt uit Coetzee's *Disgrace* en Gordimers *The House Gun*, de indrukwekkendste romans die het afgelopen decennium in Zuid-Afrika geschreven werden. Pessimisme zet de toon; op de laatste bladzijde van *Disgrace* komen we het veelzeggende regeltje '*It gets harder all the time*' tegen, terwijl de roman symbolisch eindigt wanneer de hoofdpersoon zijn lievelingshond een spuitje geeft ('*I'm giving him up*'). Wie liever iets van het paradijs in het achterland van Kaap de Goede Hoop terugziet, kan zich beter wenden tot de poëzie. Voor lezen op locatie gaat er niets boven de Kaapprovincie-gedichten van Wilma Stockenström of de 'kaalvoetverzen' van de onlangs herontdekte Ingrid Jonker.

■ H. Rider Haggard *King Solomon's Mines* (1885); Indiana Jones avant la lettre leidt een expeditie naar fabelachtige schatten

◆ Breyten Breytenbach *A Season in Paradise* (1973); filosofische roman over een Afrikaner die partij kiest tegen apartheid

✪ Nadine Gordimer *Burger's Daughter* (1979); de dochter van een communistische verzetsheld verzoent zich met de politieke erfenis van haar ouders

★ Sol T. Plaatje *Mhudi* (1920/1930); eerste Engelstalige roman van een zwarte is een antropologisch epos over liefde tijdens een negentiende-eeuwse meervolkenoorlog

◪ Connie Braam *Zwavel* (1956); psychologische thriller over de gevolgen van collaboratie en verzet in Zuid-Afrika én Nederland; politierechercheur ontdekt het oorlogsgeheim van haar oma

◻ Etienne van Heerden *De betoverde berg* (1986); allegorische roman over een grote boerderij die bewoond wordt door families van verschillende huidskleur

♛ Riana Scheepers *Dulle griet* (1991); (erotische) verhalen over vrouwen die worstelen met mannen en taal

❖ Laurens van der Post *In a Province* (1934); een aanval op het Zuid-Afrikaanse racisme door de Engelstalige Afrikaan die kolonel was in het Britse leger

⊙ Olive Schreiner *The Story of an African Farm* (1889); eerste Engelstalige Zuid-Afrikaanse roman, over een wilde Boerendochter en een gewetenloze oplichter op een eenzame 'plaas' in de halfwoestijn

❖ Wilma Stockenström *Voor de bijziende lezer* (2000); geselecteerde landschapsgedichten van de grande dame van de Afrikaner poëzie

✖ Andre Brink *Duivelskloof* (1998); een journalist wil de geschiedenis van een door wilde Boeren bevolkte vallei schrijven, en stuit op mythes, roddel en spookverhalen

MAP LABELS

SOLOMON MOUNTAINS

◆ PRETORIA

✪ ◪ JOHANNESBURG

KWAZULU NATAL

★ ORANJERIVIER

DURBAN ❖

KAROO
◻ ⊙ ❖

SWARTBERGE ✖

KAAPSTAD

LOWER MAP

✚ 'VATMAAR'

KLEINE KAROO ◐ ↕

✚ ❖ A.H.M. Scholtz *Vatmaar* (1995); anekdotische roman over de pioniersdagen van een plattelandsgemeenschap van kleurlingen

▲ Alan Paton *Cry, the Beloved Country* (1948); moderne klassieker over de desintegratie van een zoeloefamilie op het platteland

☉ KAAPSTAD
☾
GORDONSBAAI ♥

KAAPSTAD EN DE KAAPPROVINCIE

♥ Ingrid Jonker *Ik herhaal je* (1956-65/2000); 'kaalvoetverzen' over een kindertijd aan de idyllische Kaapse kust

↕ Henk van Woerden *Moenie kyknie* (1993); een Hollandse jongen ziet zijn in de jaren vijftig geëmigreerde familie uit elkaar vallen

☾ J.M. Coetzee *Disgrace* (1999); te midden van de raciale en seksuele verwarring van na de apartheid moet een Kaapse professor steeds grote vernederingen doorstaan

⊛ Bessie Head *The Cardinals* (1962/1993); novelle over de incestueuze liefde tussen een buitenechtelijk geboren kleurlinge en haar blanke vader

◐ Adriaan van Dis *Het beloofde land* (1991); een journalist reist met een innerlijk verscheurde Zuid-Afrikaanse vriendin door de Kaapprovincie

Welke schrijver zit in de Amazone?

Van alle Zuid-Amerikaanse literaturen die niet Spaanstalig zijn, is de Braziliaanse degene met de eerbiedwaardigste traditie. Een voorbeeld voor Surinaamse schrijvers?

Op een Surinaams literatuurcongres, eind jaren negentig in Paramaribo, werd verhit gedebatteerd over de vraag op welke literaire traditie de Surinaamse schrijvers zich moesten richten: de Caraïbische of de Braziliaanse. De kwestie was academisch, aangezien de beste Surinaamse schrijvers (zoals Astrid Roemer en Ellen Ombre) een hele andere kant uitkeken, namelijk naar de literatuur van de voormalige kolonisator, Nederland. Maar geografisch gezien zou voor Suriname (en de twee andere Guyana's) Brazilië de beste keuze zijn; het grote binnenland, met zijn tropisch regenwoud en hooggelegen savanne, is meer verwant met het Amazonegebied en de droge Sertão dan met de toeristenparadijzen in de Caraïben. En nog afgezien daarvan: de Braziliaanse literatuur is bepaald niet de minste om je aan te spiegelen.

De moderne Braziliaanse literatuur begon met de zeer stadse J.M. Machado de Assis, die in 1881 doorbrak met de vernieuwende antiroman *Postume herinneringen van Brás Cubas*, en die daarna vooral beroemd is geworden met zijn humoristische verhalen op het snijvlak van waan en werkelijkheid. Maar het waren daarna juist de in het landschap gewortelde boeken die het beeld van de Portugeestalige Braziliaanse literatuur bepaalden – te beginnen met *De binnenlanden* van Euclides da Cunha. Diens epos over een waargebeurde opstand – later nog eens in pure fictie overgedaan door de Peruaan Mario Vargas Llosa – zette de Sertão in het noordoosten literair op de kaart. Vele schrijvers na hem, van João Guimarães Rosa tot João Ubaldo Ribeiro, zouden hun boeken in die barre streek situeren.

Opvallend weinig grote Braziliaanse romans spelen op of bij de Amazone; en ook buitenlandse schrijvers hebben de op een na langste rivier ter wereld links laten liggen. Op de een of andere manier is de jungle van *Midden*-Amerika een veel populairdere setting geworden voor avonturenromans (*Jurassic Park* van Michael Crichton) en diepgravende fictie (*The Mosquito Coast* van Paul Theroux). We moeten het doen met Wilson Harris' *Palace of the Peacock*, over een reis naar de uitlopers van de Amazone, en met het slot van *A Handful of Dust* van Evelyn Waugh.

Maar wat voor een slot! Als de tragische hoofdpersoon, op expeditie in het regenwoud, op het nippertje aan de dood is ontsnapt, wacht hem alsnog het noodlot: de rest van zijn leven wordt hij gedwongen om het werk van Charles Dickens voor te lezen aan zijn redder, een kluizenaar in het Amazonegebied.

★ Astrid Roemer *Was getekend* (1999, slot van 'Roemers drieling', een trilogie over de verhouding Nederland-Suriname); een sympathieke held eindigt in eenzaamheid

◪ Leo Ferrier *Atman* (1968); psychologische tendensroman over opgroeiende Creolen en Hindoestanen in Nieuw-Amsterdam

▲ Albert Helman *De stille plantage* (1931); een idealistische hugenoot wordt kapotgemaakt door collega-planters en de meedogenloze Surinaamse jungle

☾ Henri Charrière *Papillon* (1969); deze bestseller over de spectaculaire ontsnapping van een onschuldig veroordeelde strafkolonist werd verkocht als non-fictie

■ Jorge Amado *Dona Flor en haar twee echtgenoten* (1966); een aantrekkelijke weduwe onderhoudt een ménage à trois met een saaie drogist en haar gestorven echtgenoot

✪ Aphra Behn *Oroonoko* (1688); een Afrikaanse slaaf organiseert een opstand in Suriname (onder Brits bewind)

◐ Wilson Harris *Palace of the Peacock* (1960, onderdeel van 'The Guyana Quartet'); op een reis over de rivier naar het binnenland versmelten heden, verleden en toekomst

◆ Pauline Melville *The Ventriloquist's Tale* (1997); de kinderen van een Schotse immigrant in de indiaanse binnenlanden geven zich over aan een incestueuze liefde

⊗ João Ubaldo Ribeiro *Sergeant Gétulio* (1991); militair escorteert een gevangene door de binnenlanden

✤ João Guimarães Rosa *Diepe wildernis de wegen* (1956); epische monoloog van een in de binnenlanden rijk geworden bendeleider

⚶ Mario Vargas Llosa *De oorlog aan het einde van de wereld* (1981); moderne fictievariatie op de laatnegentiende-eeuwse opstand waarover Euclides Da Cunha schreef

♥ Euclides da Cunha *De binnenlanden* (1902); documentair epos over een bloedig neergeslagen volksopstand in noordoost-Brazilië

♛ Graciliano Ramos *Angst* (1936); een klerk in een Braziliaanse provinciestad probeert vergeefs wraak te nemen als zijn geheime geliefde voor een patser zwicht

⊙ Autran Dourado *Opera der doden* (1967); adellijke vrouw in het keurslijf van haar verleden wordt verliefd op klusjesman

❖ Evelyn Waugh *A Handful of Dust* (1934); satire op de Engelse society in de jaren twintig eindigt voor een bedrogen echtgenoot in het Amazonegebied

✱ Carlos Drummond de Andrade *De liefde, natuurlijk* (1964); erotische gedichten over de liefde in alle variaties

◨ John Updike *Brazil* (1994); een arme zwarte jongen en rijk wit meisje, een moderne Tristan en Isolde, bereizen heel Brazilië om hun liefde veilig te stellen

✖ Robert Menasse *Sinnliche Gewissheit* (1988, 'Bar Hopeloos'); tragikomedie over gefrustreerde Oostenrijkse expats die bij elkaar klitten in een Braziliaans café

✕ J.M. Machado de Assis *Postume herinneringen van Brás Cubas* (1881); een dode burger vertelt in 160 zeer vrije hoofdstukken over zijn leven en liefdes

PARAMA-RIBO ★ NIEUW AMSTERDAM

SURINAME-RIVIER

SURINAME

BRITS GUYANA

FRANS GUYANA

☾ DUIVELS-EILAND

SURI-NAME

AMAZONE

BRAZILIË

BAHIA

CANUDOS

SERTÃO

MINAS GERAIS

RIO DE JANEIRO

SÃO PAULO

Máximaal lezen

In de jaren zestig van de twintigste eeuw beleefde de Latijns-Amerikaanse literatuur hoogtijdagen. Is de toverkracht van het magisch realisme inmiddels uitgewerkt?

Latijns-Amerika en het magisch realisme horen bij elkaar als *chili* en *carne*, Alex en Máxima, García en Márquez. Sinds de Cubaanse schrijver Alejo Carpentier in 1949 betoogde dat de Latijns-Amerikaanse werkelijkheid doortrokken is van het wonderbaarlijke (*'lo real maravilloso'*), geldt de vermenging van sprookjesachtige en alledaagse gebeurtenissen als het handelsmerk van de Zuid-Amerikaanse literatuur. Vergeten wordt dat het magisch realisme al zo oud is als het geschreven woord – zelfs Homeros en de Heilige Geest waren niet de eerste pioniers – en dat het zich allesbehalve beperkt tot de Nieuwe Wereld. Franz Kafka liet in zijn beroemdste verhaal, *Die Verwandlung* (1915), een man in een kever veranderen; Michail Boelgakov liet in *De meester en Margarita* (circa 1930) de duivel los op stalinistisch Moskou; Harry Mulisch schreef in 1955 een verhaal over een sergeant die langzaam versteent ('Wat gebeurde er met Sergeant Massuro?').

Gabriel García Márquez, die met *Honderd jaar eenzaamheid* de vaandeldrager van het magisch realisme werd, heeft zich altijd verzet tegen etikettering. In zijn dankrede voor de Nobelprijs (1982) beklemtoonde hij dat de Zuid-Amerikaanse realiteit bizarder is dan lezers uit het Westen zich kunnen voorstellen. Zijn weergave van de Colombiaanse werkelijkheid zou niet wezenlijk anders zijn dan de manier waarop zijn grote voorbeeld William Faulkner het Zuiden van de Verenigde Staten mythische dimensies had gegeven. Wat niet wegneemt dat García Márquez' werk juist op het vlak van 'het wonderbaarlijk werkelijke' duidelijke verwantschap vertoont met de jaren-zestigromans van de Argentijn Cortázar, de Mexicaan Fuentes en de Peruaan Vargas Llosa.

Veertig jaar na de Latijns-Amerikaanse *boom* is het klassieke magisch realisme verwaterd – geclaimd door epigonen als Isabel Allende, belachelijk gemaakt door onder meer de Mexicaanse Laura Esquivel (*Rode rozen en tortilla's*). Zelfs buitenlandse schrijvers hebben zich aan parodieën gewaagd; zo begon de Engelsman Louis De Bernières, nu wereldberoemd door *Captain Corelli's Mandolin*, zijn carrière met een magisch-realistische trilogie over een imaginair Zuid-Amerika. Hij brak daarmee met de Angelsaksische traditie, ingezet door Joseph Conrads *Nostromo* (1904), om het primitieve Latijns-Amerika te gebruiken als decor voor diepgravende psychologische avonturenromans over *gringos* in crisis. De beroemdste voorbeelden daarvan zijn *The Power and the Glory* van Graham Greene en *Under the Volcano* van Malcolm Lowry (zie kaart 48); maar ook de tegenwoordig weinig gelezen novelle *The Bridge of San Luis Rey* van Thornton Wilder hoort in dit rijtje thuis.

◆ Gabriel García Márquez *Honderd jaar eenzaamheid* (1967); magisch-realistische familieroman over het door burgeroorlog, natuurgeweld en economische exploitatie vernietigde dorp Macondo

◪ Lisa St Aubin de Téran *Keepers of the House* (1982); een vrouw is de gevangene van haar rijke huiselijke leven

▲ Augusto Roa Bastos *Ik de allerhoogste* (1974); postmodernistische roman over een negentiende-eeuwse dictator in Paraguay

★ Louis De Bernières *The War of Don Emmanuel's Nether Parts* (1990); eerste deel van een trilogie over een pseudo-magisch-realistisch Zuid-Amerika

✪ Alvaro Mutis *De sneeuw van de admiraal* (1985); eerste deel van een trilogie over Maqroll de Marsgast, zeeman, smokkelaar en filosoof

☾ Rómulo Gallegos *Doña Bárbara* (1929); een stadsbewoner gaat terug naar zijn landerijen in de wildernis om daar de beschaving te brengen

■ Eduardo Galeano *'Kroniek van het vuur'* (1982-1986); trilogie over de geschiedenis van (Zuid-)Amerika, doorspekt met fictie

♾ Joseph Conrad *Nostromo* (1904) verwikkelingen rond een zilverschat in een fictief Zuid-Amerikaans land illustreren de holheid van de mens

↢ Annie M.G. Schmidt *Abeltje* (1953); een wereldreis per lift voert een Hollands gezelschap langs revolutie in 'Perugona'

✚ Manuel Puig *De kus van de spinnenvrouw* (1981); twee gevangenen, een homoseksueel en een politiek activist, komen nader tot elkaar in een Zuid-Amerikaanse cel

↕ Thornton Wilder *The Bridge of San Luis Rey* (1927); historische novelle waarin een franciscaan probeert te begrijpen waarom vijf mensen bij het instorten van een bruggetje het leven lieten

♥ Mario Vargas Llosa *Het groene huis* (1962); angst en walging op een fascistoïde kadettenschool

◑ Ernesto Sábato *Over helden en graven* (1961); een apocalyptische visie op de smeltkroes Buenos Aires

◻ Hergé *Le temple du soleil* (1946-1948); Kuifje redt professor Zonnebloem na een expeditie naar de nazaten van de Inca's

❖ Jakob Wassermann *Das Gold von Caxamalca* (1923); avonturennovelle over de expeditie van de conquistador Pizarro naar het hart van het Incarijk

» Juan Filloy *Op Oloop* (1934); het laatste etmaal uit het leven van een Fin wiens leven uit rijtjes, tabellen en statistieken bestaat

✖ Pablo Neruda *Canto general* (1950); episch gedicht over de geschiedenis en de geografie van Zuid-Amerika

⊙ Ariel Dorfman *De dood en het meisje* (1992); toneelstuk over een vrouw die jaren na dato de man herkent die haar martelde

❁ Jorge Luis Borges en Adolfo Bioy Casares *De kronieken van Bustos Domecq* (1967); de pretenties van de literatuur en de moderne kunst in twaalf verhalen

♛ Julio Cortázar *De prijswinnaars* (1960); absurdistische thriller over figuren die een verrassingscruise in een loterij hebben gewonnen

⊠ Isabel Allende *Het huis met de geesten* (1985); magisch-romantische familieroman over een rijke familie in de woelige twintigste eeuw

♠ Antoine de Saint-Exupéry *Vol de nuit* (1931); op weg van Patagonië naar Buenos Aires gaat een postvlieger aan benzinegebrek ten onder

VENEZUELA

COLOMBIA

ECUADOR

BRAZILIË *en de* GUYANA'S
(ZIE KAART 45)

LIMA

PERU

BOLIVIA

PARAGUAY

CHILI

BUENOS AIRES

URUGUAY

ARGENTINIË

Rum, drums & fictie

Migratie en ballingschap zijn de grote thema's van de Caraïbische literatuur, die zich uitstrekt over tientallen eilanden en evenzovele taalgebieden.

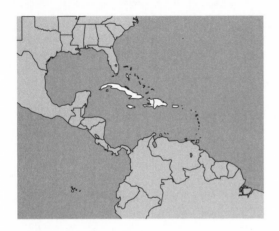

Liefst drie Nobelprijswinnaars voor literatuur leverde het Caraïbisch gebied: de Franse dichter uit Guadeloupe Saint-John Perse (1960), de op St. Lucia geboren Derek Walcott (1992) en de Indiase Trinidadiaan V.S. Naipaul (2001). En nog is daarmee maar een fractie vertegenwoordigd van de verscheidenheid aan rassen, volkeren en talen op de Grote en de Kleine Antillen. Zo wacht Cuba nog steeds op de eerste Spaanstalige laureaat uit het gebied, hoewel de belangrijkste kandidaat, de pionier van het magisch realisme Alejo Carpentier, in 1980 overleed. Om over de Nederlandstalige eilanden maar te zwijgen. Niet helemaal ten onrechte: schrijvers als Tip Marugg en Frank Martinus Arion mogen dan goede boeken hebben geschreven, je kunt ze onmogelijk 'nobelisabel' noemen.

Toen Columbus in 1492 voet zette op Hispaniola, hadden de Caraïben een orale (indianen)cultuur. De kolonisatie van het gebied door Spaanse, Franse, Engelse en Nederlandse planters veran-

derde daar weinig aan, en zorgde al helemaal niet voor een voedingsbodem waarop fictieschrijvers konden gedijen. Pas een halve eeuw na de afschaffing van de slavernij (1848, in de Nederlandse Caraïben 1863) ontwikkelde zich langzaam een Caraïbische literatuur – typerend genoeg gekenmerkt door thema's als migratie en ballingschap. Auteurs als Claude McKay (die een van de kopstukken werd van de Harlem Renaissance in het New York van de jaren twintig) en Saint-John Perse (die in 1911 debuteerde met een bundel over zijn Antilliaanse jeugd) emigreerden naar Europa of Noord-Amerika en schreven daar hun proza en poëzie. De grote Naipaul verhuisde na zijn middelbareschooltijd voorgoed naar Engeland en publiceerde toen pas zijn grote Trinidadromans *Miguel Street* (1959) en *A House for Mr. Biswas* (1961).

Naipaul was een van de auteurs van de 'Great Wave', de zeer verscheiden groep van Caraïbische schrijvers die tussen 1950 en 1970 internationale bekendheid kreeg, en waartoe ook George Lamming en Jean Rhys behoorden. Zij baanden de weg en formuleerden de thema's waarop een nieuwe generatie varieerde: het verloren paradijs van de jeugd, de doorwerking van het slavenverleden, de tegenstelling tussen blank en zwart, het hartzeer van de migrant. Dat dit bepaald geen loodzware literatuur hoeft op te leveren, bewijst Frank Martinus Arions *Dubbelspel*. In deze parel van de Nederlands-Caraïbische literatuur is een dominopartij niet alleen het uitgangspunt voor een spannende roman vol sociaal-politieke kwesties, maar ook voor een humoristische kijk op het dagelijkse leven van de sappelende Caraïbiër.

★ Ernest Hemingway *The Old Man and the Sea* (1952); simpel gestileerd mini-epos over een wonderbaarlijke visvangst

◩ Alejo Carpentier *Het koninkrijk van deze wereld* (1949); magisch-realistische roman over de begin-negentiende-eeuwse onafhankelijkheidsstrijd

■ Jamaica Kincaid *At the Bottom of the River* (1983); poëtische verhalen over de surreële werkelijkheid

❖ Maryse Condé *La migration des coeurs* (1995, 'Bovenwindse hoogten'); een moderne bewerking van *Wuthering Heights*

✪ Guillermo Cabrera Infante *Drie trieste tijgers* (1965); de humoristisch-nostalgische memoires van een Cubaanse balling

▲ Edwidge Danticat *Breath, Eyes, Memory* (1994); drie generaties vrouwen in Haïti en New York

◆ Mario Vargas Llosa *Het feest van de bok* (2001); een studie in machismo en machtsmisbruik, aan de hand van dictator Rafael Trujillo (1930-1961)

◑ Derek Walcott *Omeros* (1992); een Caraïbische *Odyssee* in 64 gezangen vol verwijzingen naar de wereldliteratuur

☾ Pedro Juan Gutiérrez *Dirty Havana Tilogy* (1998); seks en wraak in een schandaalkroniek over het armoedige leven onder Fidel Castro

⊕ Patrick Chamoiseau *Texaco* (1992); historisch epos over de pijnlijke geschiedenis van een onderdrukt eiland

⇕ George Lamming *In the Castle of My Skin* (1953); een jongen groeit op en raakt politiek geëngageerd

BAHAMA'S

GOLF VAN MEXICO

• HAVANA

CUBA

ATLANTISCHE OCEAAN

HAÏTI

DOM. REPUBLIEK

♥ José Martí *Simpele verzen* (1891); poëzie van de revolutionair-romanticus, inclusief het onofficiële Cubaanse volkslied 'Guantanamera'

♛ JAMAICA ❖ ✗

PUERTO RICO

■ ANTIGUA

GUADELOUPE ❖

MARTINIQUE ⊕

CARAÏBISCHE ZEE

◑ ST. LUCIA

⇕ BARBADOS

♛ Richard Hughes *A High Wind in Jamaica* (1929); avonturenroman over zeven Engelse schoolkinderen die worden ontvoerd door piraten

ARUBA

⬅ ⊙ ◻

BONAIRE ❋

CURAÇAO

✗ ≫

TRINIDAD

◻ Boeli van Leeuwen *De rots der struikeling* (1959); blanke Curaçaoënaar raakt in existentiële crisis en vindt uiteindelijk de dood in Zuid-Amerika

❖ S. Vestdijk *Rumeiland* (1940); man onderzoekt een handelsfraude én de moord op zijn vader

❋ Cola Debrot *Mijn zuster de negerin* (1935); een Antilliaan ontdekt dat zijn jeugdvriendin een buitenechtelijk kind van zijn vader is…

✗ V.S. Naipaul *A House for Mr. Biswas* (1961); tragikomedie over een Caraïbische Indiër die streeft naar een eigen huis

⊙ Frank Martinus Arion *Dubbelspel* (1973); een politiek geladen roman, over een memorabele dominopartij op koloniaal Curaçao, legt een mozaïek van overspel en machtsintriges bloot

⬅ Tip Marugg *Weekendpelgrimage* (1957); een in de auto gestrande jongen overdenkt zijn leven als blanke op een eiland van zwarten

✗ Jean Rhys *Wide Sargasso Sea* (1966); de Caraïbische voorgeschiedenis van de gekke Mrs. Rochester uit Charlotte Brontës *Jane Eyre*

≫ Shiva Naipaul *The Chip Chip Gatherers* (1973); roman van de broer van V.S. Naipaul, over een hindoefamilie die haar cultuur verliest in moderniserend Port of Spain

Onder de rook van Popocatepetl

De Centraal-Amerikaanse geschiedenis is er een van constante buitenlandse inmenging. De literatuur, van buitenlanders en Latijns-Amerikanen, toont er de sporen van.

Met zeshonderd soldaten, een dozijn paarden en een handvol kanonnen veroverde de Spaanse conquistador Hernan Cortés in 1521 het Midden-Amerikaanse rijk van de Azteekse koning Montezuma. Diens residentie Tenochtitlán werd de hoofdstad van 'Nieuw-Spanje' en heette voortaan Mexico-Stad. Het zou tot in de negentiende eeuw duren voordat het gebied weer onafhankelijk werd – al was dat een onafhankelijkheid die werd bevochten door blanke kolonisten. De inheemse bevolking, bestaande uit naar schatting dertig miljoen indianen, was tegen die tijd door oorlogen en virussen al min of meer gedecimeerd.

De geschiedenis van eindeloze kolonisatie wordt tot op zekere hoogte weerspiegeld door de literatuur waarin de acht Centraal-Amerikaanse staten van vandaag de dag een rol spelen. Op de kaart hiernaast is slechts een derde van de titels Midden-Amerikaans. Er zitten twee boeken van Nobelprijswinnaars (Asturias en Paz) tussen, plus de klassieker *Pedro Páramo* van Juan Rulfo (1918-1986) en het magnum opus van de grootste levende Mexicaanse prozaschrijver, Carlos Fuentes. Maar ze vallen – in elk geval kwantitatief – in het niet bij romans van buitenlanders, die het gebied tussen de Verenigde Staten en Colombia hebben getekend als de bakermat van señorita's, siësta's en sombrero's, of anders wel van tequila, tamales en tortilla's.

Er is één stripboek waarin alle Midden-Amerikaanse clichés bij elkaar gebracht zijn: *Tortilla's voor de Daltons* van Morris & Goscinny. Maar er is ook ten minste één buitenlandse roman die weet door te dringen in de 'ziel' van Mexico: *Under the Volcano* van Malcolm Lowry, over een man die zichzelf heeft verdoemd en die weigert om zich van zijn zelfgekozen einde te laten weerhouden. Het verhaal speelt zich af in een passend helse omgeving: een stadje aan de voet van twee vulkanen (Popocatepetl en Ixtaccihuatl) in het door burgeroorlog geteisterde Mexico aan de vooravond van de Tweede Wereldoorlog, en dan ook nog op Allerzielen. Geoffrey Firmin, de Britse consul, gaat op deze Dag van de Doden van cantina naar cantina in een poging het laatste beetje genot uit zijn leven te persen – doof voor de smeekbeden van zijn vrouw, die na een overspelig avontuur bij hem is teruggekomen, of van zijn hypocriete halfbroer, die hem ook van de drinkersdood wil redden.

De roman van Lowry, die eindigt met de roemloze fusillering van de consul door een fascistische bende, is niet alleen een stilistische krachttoer en een elegante verbeelding van het oude begrip 'dansen op de vulkaan', maar ook een scherp psychologisch portret van een zelfdestructieve persoonlijkheid. Waarschijnlijk hebben meer dronkaards dan Mexicanen zich in *Under the Volcano* herkend.

★ Sandra Cisneros *Woman Hollering Creek* (1989); verhalen over vrouwen aan beide kanten van de Mexicaans-Amerikaanse grens

◆ Morris & Goscinny *Tortillas pour les Dalton* (1971); hilarische strip over een eenzame cowboy die een kwartet boeven terug achter de tralies probeert te krijgen

✗ D.H. Lawrence *The Plumed Serpent* (1926); filosofische roman over een vrouw die zich aansluit bij een neo-azteekse bloedcultus

◩ B. Traven *Der Schatz der Sierra Madre* (1927); de vinders van een schat in Mexico staan elkaar naar het leven

✪ Cormac McCarthy *All the Pretty Horses* (1992); een jonge Texaan verliest in het ruige Mexico van de jaren veertig zijn onschuld

✻ Carlos Fuentes *De dood van Artemio Cruz* (1962); een verworden revolutionair overdenkt zijn heden en verleden ten tijde van de Mexicaanse revolutie

❖ Laura Esquivel *Rode rozen en tortilla's* (1989); onmogelijke liefde en lekker eten in revolutionair Mexico anno 1910

◑ Octavio Paz *Verzamelde gedichten* (1935-1987); poëzie van de Nobelprijswinnaar van 1990

⊙ Juan Rulfo *Pedro Páramo* (1955); een potentaat heerst over een gebied waarin heden en verleden door elkaar lopen

HET (WILDE) WESTEN
(ZIE KAART 54)

★

◆ RIO GRANDE

RIO GRANDE

SIERRA MADRE

◩

SIERRA MADRE

✪

❖❖ MONTERREY

MEXICO

◀╌ Malcolm Lowry *Under the Volcano* (1947); de laatste dag uit het leven van een alcoholistische consul

↕ Graham Greene *The Power and the Glory* (1940); een drinkebroer-priester reist door revolutionair Mexico, voortdurend op het punt zijn God te verraden

✗◑ MEXICO-STAD
✻⊙

◀╌ POPOCATEPETL

↕

⊗ GUATE-MALA
✚

HONDURAS

▲ ✖

♥ NICARAGUA

EL SALVADOR ▭

COSTA RICA ↶

♛ PANAMA

⊗ Miguel Asturias *De president* (1946); Nobelprijswinnende roman over het wezen van de Spaans-Amerikaanse dictatuur

✚ Rodrigo Rey Rosa *Na de vrede* (1996); vier Guatemalteken pakken hun leven op na de burgeroorlog – hoeveel is er veranderd?

▲ Paul Theroux *The Mosquito Coast* (1981); een antiglobalist avant la lettre probeert in de jungle met zijn gezin een ideaal bestaan op te bouwen

♥ Denis Johnson *The Stars at Noon* (1984); de liefde van een prostituee en een verdwaalde Engelsman te midden van de strijd tussen sandinisten en contra's

▸▸ John Le Carré *The Tailor of Panama* (1995); een Britse spion probeert zijn fortuin te maken in de aanloop tot de overdracht van het Panamakanaal

▭ Joan Didion *A Book of Common Prayer* (1977); een antropologe beschrijft de avonturen van een *gringa* in een fictief Midden-Amerikaans land

✖ Abel Posse *De honden van het paradijs* (1983); humoristische roman over Columbus' ontdekking van Midden-Amerika

↶ Michael Crichton *Jurassic Park* (1991); een themapark vol teruggekloonde dinosauriërs vervalt tot chaos

♛ Alvaro Mutis *Ilona komt met de regen* (1988); de zeeman Maqroll, hoofdpersoon van de trilogie 'De boeken van de onstuimige wind', begint een bordeel met een oude vriendin

Trees leest Canadees

Vrouwen lijken in de Canadese literatuur de dienst uit te maken,
of ze nu in het Engels of in het Frans schrijven. Margaret Atwood
en Alice Munro betwisten elkaar de Nobelprijs voor literatuur.

De prestigieuze Man Booker Prize wordt sinds 1969 uitgereikt aan het beste fictieboek uit Groot-Brittannië en het Gemenebest. Drie van de in totaal 37 winnaars zijn Canadees: Michael Ondaatje (1992, *The English Patient*), Margaret Atwood (2000, *The Blind Assassin*) en Yann Martel (2002, *Life of Pi*). Je zou het een magere score kunnen noemen voor een land met 27 miljoen inwoners, iets meer dan de helft van Engeland. Maar wie op een andere manier tegen de prijslijst aankijkt – drie keer een Canadese triomf in de afgelopen twaalf jaar – trekt een positievere conclusie: Canada heeft zich in een hoog tempo literair geëmancipeerd. Van een land met een minderwaardigheidscomplex tegenover de voormalige kolonisator – een kwarteeuw geleden was er in de scholen nog nauwelijks aandacht voor de Canadese literatuur – is het uitgegroeid tot een zelfbewuste natie met meerdere Nobelprijskandidaten (Atwood en de verhalenschrijfster Alice Munro),

met het grootste literaire festival van de wereld (Harbourfront in Toronto, waar eens J.K. Rowling optrad in een afgeladen honkbalstadion), en met twee verschillende literaturen.

Twee literaturen ja, want in de deelstaat Québec houdt de Franse letterkunde dapper stand tegen de Engelse overheerser. En hoewel de *littérature québécoise* relatief jong is, heeft ze geen gebrek aan grote namen – zij het die van de dichter en romanschrijfster Anne Hébert (1916-2000) of van haar fakkeldraagster Marie-Claire Blais (1940). Vrouwen lijken in de Canadese literatuur de dienst uit te maken, zowel in Québec als in de andere elf provincies. Behalve Hébert, Atwood, Munro en Blais behoren de in 2003 overleden Carol Shields en de bestsellerschrijfster Ann-Marie MacDonald (*Fall on your Knees*, 1996) tot de belangrijkste literaire exportproducten.

Ook de bekendste roman *over* Canada is geschreven door een vrouw, E. Annie Proulx. In *The Shipping News* ('Scheepsberichten') komt een door zijn vrouw verlaten journalist tot rust in Newfoundland – het barre noordwestelijke deel van Canada waar de winter lang en donker is en het menu (zeehondenvinnentaart!) barbaars. Proulx, die in Connecticut geboren is maar afstamt van de zeventiende-eeuwse Franse kolonisten in Québec, ging met *The Shipping News* terug naar haar Canadese wortels. Grappig genoeg is dat bij nieuwe Canadese schrijvers als Ondaatje (Sri Lanka), Martel (Australië) en Rohinton Mistry (India) precies omgekeerd: als immigranten van de grote golf van de jaren zeventig en tachtig richten zij zich in hun romans bij voorkeur op het buitenland.

✪ Jack London *White Fang* (1905); de avonturen van een wolfshond tussen wildernis en beschaving

★ Erik Vlaminck *Wolven huilen* (1994); een man gaat op zoek naar een oom die voor zijn oorlogsverleden naar Canada is gevlucht

◪ Gaétan Soucy *La petite fille qui amait trop les allumettes* (1999); een meisje vertelt het wrede verhaal van haar wereldvreemde jeugd

▲ Annie Proulx *The Shipping News* (1993); mild absurdistisch verhaal van een schijnbaar eeuwige verliezer die gelouterd wordt door het barre leven in Newfoundland

☭ Carol Shields *The Stone Diaries* (1993); fictieve biografie-in-puzzelstukjes van een Canadese 'vrouw, moeder, burger van onze eeuw'

■ Jean Echenoz *Je m'en vais* (1999); een man verlaat zijn vriendin om schatten te zoeken in het poolijs

◆ Anne Hébert *Les fous de Bassan* (1982); het verhaal van een dubbele verkrachting en moord wordt verteld door zes betrokkenen, onder wie de dode meisjes zelf

◷ Wayne Johnston *The Colony of Unrequited Dreams* (1998); epische roman over de journalist die in 1949 de eerste premier van het straatarme Newfoundland werd

✤ William T. Vollmann *The Ice-Shirt* (1991); eerste deel van de 'Seven Dreams'-cyclus beschrijft vrouwelijke rivaliteit onder de oudste Noorse kolonisten in 'Vinland'

↕ Elizabeth Hay *De man die voor het weer kwam* (2000); twee zusjes, één mooi en één lelijk, zijn een leven lang geobsedeerd door een bezoekende klimatoloog

◑ Ann-Marie MacDonald *Fall on Your Knees* (1996); een noodlotssaga die wel is omschreven als een katholieke *Wuthering Heights*

♥ Henry Wadsworth Longfellow *The Song of Hiawatha* (1855); 5400 regels tellend heldendicht over een indiaanse vredestichter

◉ Robertson Davies *What's Bred in the Bone* (1985); een door engelen verteld epos over een Canadese elckerlyc

✿ Mordecai Richler *The Apprenticeship of Duddy Kravitz* (1959); een joodse outsider zwendelt zich vindingrijk door het leven

♛ Alice Munro *The Beggar Maid* (1980); Tsjechov-achtige scènes uit een Canadees vrouwenleven

◘ Margaret Atwood *The Robber Bride* (1994); drie vriendinnen worden geconfronteerd met een doodgewaande – en verderf zaaiende – femme fatale

✖ Bernlef *Buiten is het maandag* (2003); een man, die net zijn vrouw bij een auto-ongeluk heeft verloren, gaat op zoek naar zijn verdwenen zoon

❖ Timothy Findley *The Last of the Crazy People* (1967); het verhaal van een eenzame jongen die zijn hele familie neerschiet

➤➤ Michael Ondaatje *In the Skin of the Lion* (1987); een immigrant houdt het hoofd boven water in de grote stad

✗ James Fenimore Cooper *The Pathfinder* (1840); in het tweede deel van het vijfluik over 'Leatherstocking' moet de stoere pionier kiezen tussen liefde en onafhankelijkheid

NORTHWEST TERRITORIES

HUDSONBAAI

NEWFOUNDLAND

MANITOBA

QUÉBEC

ST. JOHNS

CAPE BRETON

ONTARIO

NOVA SCOTIA

SASKAT-CHEWAN

LAKE SUPERIOR

MONTREAL

LAKE HURON

TORONTO

LAKE ONTARIO

Berichten uit Frogpondium

In de literatuur van New England heeft de tirannie en de hypocrisie van de oude Puriteinen plaatsgemaakt voor de verstikkende atmosfeer van suburbia.

Geen gebied in Amerika heeft zo veel goede schrijvers voortgebracht als New England (zoals de zes noordoostelijkste staten worden genoemd sinds de Britten zich daar in de zeventiende eeuw vestigden). Misschien lag het aan de geletterde instelling van de Puriteinen, met hun voorliefde voor het lezen in de bijbel en het schrijven van preken en autobiografieën, misschien aan de vroege stichting van een universiteit (Harvard, 1636); maar in en om de stad Boston ontwikkelde zich al snel een literaire cultuur. Die was aanvankelijk gericht op het moederland, Groot-Brittannië, maar nadat de filosoof Ralph Waldo Emerson in zijn essay 'The American Scholar' (1837) had opgeroepen tot intellectuele onafhankelijkheid, stortten tientallen schrijvers zich op het verleden en heden van het eigen continent, dat eigenlijk alleen nog was beschreven door de vader van de western, James Fenimore Cooper (1789-1851).

'Frogpondium' heette de kust van Massachusetts bij Edgar Allan Poe. De in Boston geboren zuiderling, die zijn verhalen bij voorkeur niet in New England situeerde, vond kennelijk dat er opvallend veel literaire kikkers aan de waterkant zaten. De briljantst kwakenden onder hen waren Nathaniel Hawthorne, beroemd om de sp(r)ookachtige *Twice-Told Tales* (1837) of anders de ijzingwekkende roman *The Scarlet Letter*, en zijn bewonderaar Herman Melville, die met *Moby-Dick* onder meer een allegorie op de Amerikaanse volksaard schreef. Maar negentiende-eeuws Massachusetts herbergde ook grote dichters (Emily Dickinson, Henry Wadsworth Longfellow) en non-fictieschrijvers, zoals de natuurfreak Henry David Thoreau en de feministe Margaret Fuller. Thoreaus literaire kampeerverslag *Walden, or Life in the Woods* (1852) is zelfs het ideale leesvoer voor iedereen die in de omgeving van Concord naar de beroemde herfstkleuren gaat kijken.

In de twintigste eeuw hebben vele schrijvers de fakkel van Hawthorne en Melville overgenomen. John Irving bijvoorbeeld, die bijna alle staten van New England in zijn romans laat voorkomen en die zichzelf trots presenteert als een neo-Puritein voor wie de strijd tussen goed en kwaad het belangrijkste thema is. Stephen King, die als decor voor zijn alledaagse horrorverhalen vooral zijn geboortestaat Maine gebruikt. En John Cheever, die in de benauwenis van de buitenwijken een equivalent vond voor de puriteinse tirannie en hypocrisie in *The Scarlet Letter*. In zijn voetspoor zou het verstikkende leven in suburbia het belangrijkste thema worden in het werk van John Updike en Richard Ford, twee schrijvers die zich – net als eens Washington Irving en James Fenimore Cooper – ophouden aan de grenzen van New England.

★ Donna Tartt *The Secret History* (1992); college-student wordt medeplichtig aan doodslag en moord en worstelt met zijn geweten

▲ Louisa May Alcott *Little Women* (1886); vier meisjes groeien op op het Nieuw-Engelse platteland

■ John Irving *The Cider House Rules* (1985); in de jaren dertig en veertig worstelt een bijzondere weesjongen met zijn excentrieke omgeving

◆ Stephen King *Misery* (1987); schrijver wordt na auto-ongeluk gekidnapt door een psychotische fan die hem dwingt om een van zijn oude personages opnieuw leven in te blazen

✪ James Fenimore Cooper *The Last of the Mohicans* (1826); stoere padvinder probeert twee dochters van een Engelse kolonel te beschermen tegen kwaadwillende Fransen en scalplustige indianen

☾ Washington Irving 'Rip Van Winkle' en 'The Legend of Sleepy Hollow' (1820); twee beroemde bewerkingen van Duitse volkssprookjes spelen zich af in de Hollandse nederzettingen

❂ Arthur Miller *The Crucible* (1952); de laat-zeventiende-eeuwse heksenprocessen in Salem zijn in dit toneelstuk een metafoor voor de vervolging van communisten door senator McCarthy in de jaren vijftig

◪ Robert Frost *Mountain Interval* (1916); van natuur doordrenkte gedichten, waarvan 'The Road Not Taken' de bekendste is

MAINE

BANGOR ◆

VERMONT

✪ LAKE GEORGE
BENNINGTON ★

NEW HAMPSHIRE

BOSTON

LAKE ONTARIO

NEW YORK

CATSKILL MOUNTAINS ☾

LAKE ERIE

NEWARK ♥

PENNSYLVANIA

NEW YORK (ZIE KAART 51)

NEW JERSEY

SHILLINGTON ◑

GLOUCESTER ◉
❂ ✚ SALEM
✗ ✖ BOSTON
✿ QUINCY

MASSA-CHUSETTS

♛ AMHERST

RHODE ISLAND

✦ NEW BEDFORD

CONNEC-TICUT

▢

◑ John Updike *Rabbit, Run* (1960); eerste deel van een vierluik over Harry Angstrom, de Amerikaanse *everyman* die onder meer geterroriseerd wordt door zijn driftleven

♛ Emily Dickinson *Poems* (1850-1886); postuum gepubliceerde mystieke gedichten over dood, liefde en de natuur

◉ Bernlef *Hersenschimmen* (1984); een oude Hollandse emigrant gaat steeds erger dementeren

✚ Maryse Condé *Moi, Tituba sorcière* (1986); een zwarte, uit Barbados afkomstige slavin wordt slachtoffer van de heksenvervolging van 1692

✖ Nathaniel Hawthorne *The Scarlet Letter* (1850); te midden van de zeventiende-eeuwse Puriteinen draagt een trotse vrouw de gevolgen van overspel met een dominee

↕ Richard Ford *The Sportswriter* (1986); drie dagen uit het leven van een doodgewone Amerikaan – of liever zijn hele leven in drie dagen

✦ Herman Melville *Moby-Dick* (1851); filosofisch epos over de jacht op een witte walvis begint bij de ontmoeting van de verteller en een nobel-wilde harpoenier

✿ John Cheever *The Wapshot Chronicle* (1958); als roman gepresenteerde verhalenbundel over de wurggreep van het leven in suburbia

✗ Henry James *The Bostonians* (1886); satire over een suffragette die moet kiezen tussen de feministische zaak en een huwelijk met een jonge advocaat

♥ Philip Roth *American Pastoral* (1997); een braaf gezin wordt kapotgemaakt door jaren-zestigexcessen

▢ Rick Moody *The Ice Storm* (1992); desastreus aflopende jaren-zeventigrelaties in suburbia

De achterkant van Lady Liberty

Fictie over de stad New York is een parade van mislukte levens en vermorzelde individuen. Daar zal de aanslag op het World Trade Center weinig aan veranderen.

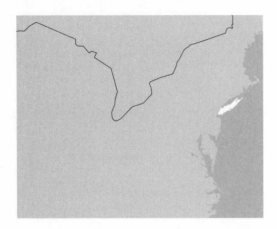

'If you can make it there, you'll make it anywhere' zong Frank Sinatra in 'New York, New York'. Op schrijvers heeft de stad aan de East River enorme aantrekkingskracht uitgeoefend. Sinds Washington Irving onder het pseudoniem Diedrich Knickerbocker een satirische blik op Manhattan en de Hudsonvallei wierp in *The History of New York* (1809), hebben honderden schrijvers de stad vereeuwigd – van de geboren New Yorker Henry James tot de Brit Martin Amis en van de Tsjech Franz Kafka (*Amerika*) tot de Hollander Arnon Grunberg. Sommige hotspots, bijvoorbeeld Washington Square en de juwelier Tiffany's, kwamen zelfs in de titel van een roman terecht.

De meeste schrijvers gebruikten New York City alleen als decor, zoals Herman Melville, die zijn absurdistische korte verhaal 'Bartleby' (over een principieel onwillige kantoorklerk) plaatste in het Wall Street van 1850; of de dichter Hart Crane, wiens lange gedicht *The Bridge* (1930) de Brooklyn Bridge als uitgangspunt nam voor een episch overzicht van de Amerikaanse cultuur. Anderen, zoals Tom Wolfe en Saul Bellow, verknoopten de lotgevallen van hun personages zodanig met de stad dat ze bij elkaar zijn gaan horen als Leopold Bloom bij Dublin of Quasimodo bij Parijs. En één schrijver, de modernist John Dos Passos, maakte New York tot middelpunt, of zelfs hoofdpersoon, van een roman: in *Manhattan Transfer* (1925) gaf hij door middel van advertentieteksten, krantenkoppen en tientallen levensverhalen een caleidoscopisch beeld van New York in het eerste kwart van de twintigste eeuw.

Dat beeld was niet al te optimistisch. Als je geen geld hebt, of niet binnen korte tijd beroemd wordt, heb je geen leven in New York. Want, zo lees je in tientallen andere romans, armoede is er nog minder draaglijk dan op het platteland, familiebanden houden op te bestaan en de grote massa waarin iedere stadsbewoner terechtkomt, maakt je minder mens. Alleen de stad is onoverwinnelijk en voor eeuwig – als een levend organisme, of een vampier die zich voedt met het bloed van telkens nieuwe generaties.

Fictie over New York City is dan ook een parade van mislukte levens. Daarom was de discussie die in Amerika gevoerd werd na de vernietiging van de Twin Towers op Manhattan ('zal de Amerikaanse literatuur door "Nine-Eleven" wezenlijk veranderen?') een academische. Voor het beschrijven van vermorzelde individuen of existentiële onzekerheid hebben schrijvers geen spectaculaire terreur nodig. Grotestadsleed is al eeuwen hun *core business*.

★ J.D. Salinger *The Catcher in the Rye* (1951); de odyssee van een rebel zonder reden, in zijn eigen woorden

✪ Saul Bellow *Mr Sammler's Planet* (1970); een shoah-overlever zoekt naar restjes beschaving in een stad die wordt beheerst door de uitwassen van de jaren zestig

▧ Edith Wharton *The Age of Innocence* (1920); anno 1870 laten twee gebonden geestverwanten zich door hun milieu van hartstocht afhouden

▲ Henry James *Washington Square* (1881); een lelijk meisje wordt vergeefs het hof gemaakt door een fortuinzoeker

☯ Ronald Giphart *Phileine zegt sorry* (1996); een intelligente Hollandse zoekt haar acterende vriend op en komt terecht in de toneelscene

♥ Tom Wolfe *The Bonfire of the Vanities* (1987); dickensiaanse satire over de sociaal-politieke chaos van New York City in de jaren tachtig

▢ Bret Easton Ellis *American Psycho* (1991); de amorele inslag van de Reagan-jaren wordt gesymboliseerd door beursyup Patrick Bateman, een Jack the Ripper met goldcard

✲ Don DeLillo *Underworld* (1997); postmodern epos over Koude Oorlog begint met een legendarische homerun en de eerste Russische kernproef

♛ T.C. Boyle *World's End* (1989); Nieuw Amsterdam anno 1663: een Hollandse immigrantenfamilie laadt een vloek op zich die tot in de twintigste eeuw effect zal hebben

⊙ Ralph Ellison *Invisible Man* (1952); kafkaëske roman over een zwarte uit het Zuiden in jaren-30-Harlem

⧗ Oscar Hijuelos *The Mambo Kings Play Songs of Love* (1989); feestelijk melancholisch boek over twee Cubaanse muzikanten ca 1955

■ Truman Capote *Breakfast at Tiffany's* (1958); novelle over de zuidelijke *fille fatale* Holly Golightly roept de mondaine én armoedige jaren veertig op

◆ Paul Auster *The New York Trilogy* (1985-1986); in drie novelles rijst de stad op als een labyrint van tekens en symbolen waarin detectives-tegen-wil-en-dank hun weg moeten vinden

⊗ Jay McInerney *Bright Lights, Big City* (1984); een would-be schrijver in crisis verkent de excessen van het nachtleven

✤ Dorothy Parker *Collected Stories* (1930-1939); vrouwenlief en -leed in het Manhattan van de jaren twintig en dertig

◑ Martin Amis *Money* (1984); een van geld en seks bezeten Engelse yuppie dwaalt door het inferno van de losgeslagen jaren tachtig

↕ Henry Roth *Call It Sleep* (1934); autobiografische joyceaanse roman over een klein jongetje te midden van joodse immigranten net vóór WO 1

❖ John Dos Passos *Manhattan Transfer* (1925); diverse personages jagen in het eerste kwart van de twintigste eeuw vergeefs op het grote succes

✘ Arnon Grunberg *De heilige Antonio* (1998); twee immigrantenjongens schrijven over hun grote gedoemde liefde

≫ F. Scott Fitzgerald *The Great Gatsby* (1925); een vrije jongen met een schimmig verleden treedt toe tot de *upper crust* van de Roaring Twenties

Diepzuidduikers

William Faulkner herschiep het Amerikaanse Zuiden
als een gotisch universum. Met grote gevolgen; zijn invloed
is niet te overschatten.

Slavernij, burgeroorlog, rassenstrijd; zompige hitte, rootsmuziek en gebraden kip. Het Zuiden van de Verenigde Staten spreekt tot de verbeelding. In dat licht is het minder verbazingwekkend dat Atticus Finch, de hoofdpersoon van de film *To Kill a Mockingbird* (naar de Alabama-roman van Harper Lee uit 1961), in 2003 werd verkozen tot de grootste held uit de geschiedenis van het witte doek – vóór Indiana Jones en James Bond. En in de literatuur is het al niet anders: in hetzelfde jaar ging de prestigieuze Orange Prize naar Valerie Martin, voor *Property*, een roman over de echtgenote van een plantagehouder in het Diepe Zuiden anno 1820. Martins voornaamste concurrent was Donna Tartts *The Little Friend*, waarin een broeierig beeld wordt gegeven van de staat Mississippi in de jaren zeventig.

Donna Tartt (Grenada, 1963) is de jongste loot aan de stam van Grote Zuidelijke Schrijfsters. Een van de eersten was de in Nederland te weinig bekende Kate Chopin, die in haar verhalen en romans putte uit de cultuur van de Louisiana-Cajuns, de oorspronkelijk uit Canada afkomstige Franstalige 'Arcadiens'. De populairste is Margaret Mitchell, die met *Gone with the Wind* de mythe van het Oude Zuiden (dat een hoogbeschaafd zelfbeeld combineerde met een onmenselijk apartheidssysteem) over de wereld verspreidde. En de besten waren Carson McCullers en Flannery O'Connor, die hun geboortestaat Georgia vereeuwigden als een gotisch universum vol religieuze fanaten, seksuele perverselingen en groteske dégénérés.

De 'Southern Gothic' van McCullers en O'Connor – en ook die van Alice Walker en Donna Tartt – ging terug op de horrorverhalen van de in Virginia geboren Edgar Allan Poe, maar vooral op de romans van William Faulkner (1897-1962), zonder twijfel de grootste schrijver die het verval van het Zuiden tot literatuur heeft verwerkt. In het dozijn boeken dat Faulkner wijdde aan het fictieve Yoknapatawpha County, een mythische weergave van de streek waar hij zelf vandaan kwam, beschreef hij de vloek van het verleden (*Sartoris*), de degeneratie van de voormalige plantagehouders (*The Sound and the Fury*), de opkomst van importparvenu's zonder enige beschaving (*The Hamlet / The Town / The Mansion*) en de vernedering van de zwarte bevolking (*Light in August*). Dat alles in een door Joyce en Woolf beïnvloede stijl, die Faulkner in 1949 de Nobelprijs bezorgde en in de jaren daarna tientallen navolgers, van Toni Morrison en Gabriel García Márquez tot Hugo Claus en Nanne Tepper.

★ Mark Twain *The Adventures of Huckleberry Finn* (1885); komische schelmenroman in spreektaal over een jongen die met een gevluchte slaaf de rivier afvaart

↕ Harriet Beecher Stowe *Uncle Tom's Cabin* (1850-1852); tendensroman over de verschrikkingen van de slavernij is nog steeds bij vlagen hartverscheurend

◉ Thomas Wolfe *Look Homeward, Angel* (1929); ontwikkelingsroman over een achterbuurtjongen uit Carolina die moet kiezen tussen zijn familie en zijn roeping als schrijver

◪ William Faulkner *Sartoris* (1929); eerste roman over het fictieve 'Yoknaptawpha County' beschrijft hoe een landbezitter gedoemd is het verleden te herhalen

★ Tom Wolfe *A Man in Full* (1998); satire over het 'Nieuwe Zuiden' tijdens de onroerend-goed-*boom* van de jaren negentig

✖ Margaret Mitchell *Gone with the Wind* (1936); onmogelijke liefde tijdens de Burgeroorlog

NEW ENGLAND
(ZIE KAART 50)

DELAWARE
• WASHINGTON DC
MARYLAND

✇ Toni Morrison *Song of Solomon* (1977); mythische roman over een man die zijn identiteit vindt in het Zuiden van zijn voorvaderen

HET MIDDEN-WESTEN
(ZIE KAART 53)

WEST VIRGINIA

VIRGINIA

MISSOURI

KENTUCKY

◉ NORTH CAROLINA

✚ Donna Tartt *The Little Friend* (2002); een ondernemend jongensmeisje probeert twaalf jaar na dato de moord op haar broertje te ontraadselen

HET (WILDE) WESTEN
(ZIE KAART 54)

★

TENNESSEE

ARKANSAS

SOUTH CAROLINA

◪
✇
✚

✖

✖ ATLANTA

GEORGIA

❋ Flannery O'Connor *Wise Blood* (1952); een religieuze extremist probeert aan zijn eigen fanatisme te ontsnappen

▲ Eudora Welty *Delta Wedding* (1946); een vrouw reist naar haar thuisstreek in de Mississippidelta om het huwelijk van een familielid bij te wonen

MISSISSIPPI

▲

☾

ALABAMA

❋

♥
➤➤ ♛

LOUISIANA

▣ ✚
◆ NEW ORLEANS

♥ Julian Green *Les pays lointains* (1987); epische roman over een negentiende-eeuwse vrouw en haar twee minnaars op een plantage

◆ John Kennedy Toole *A Confederacy of Dunces* (1969/1980); monsterlijke donquichot wordt door zijn moeder gedwongen uit werken te gaan in 'The Big Easy'

✖ Truman Capote *Other Voices, Other Rooms* (1948); een homoseksuele jongen groeit op in het Diepe Zuiden

FLORIDA

◖

MIAMI

▣ Kate Chopin *The Awakening* (1899); een geëmancipeerde Madame Bovary tussen de 'Cajuns' van negentiende-eeuws Louisiana

☾ Harper Lee *To Kill a Mockingbird* (1960); een voorlijk meisje vertelt over een van verkrachting verdachte zwarte man die door haar liberale vader verdedigd wordt

♛ Alice Walker *The Color Purple* (1986); een misbruikt zwart plattelandsmeisje uit de jaren dertig vertelt in eigen woorden het verhaal van haar emancipatie

❖ Tennessee Williams *A Streetcar Named Desire* (1947); broeierige tragedie over een vrouw en haar even brute als aantrekkelijke zwager in New Orleans

◖ Carl Hiaasen *Tourist Season* (1986); 'comic noir' over een antitoeristische terroristenbende die Florida onveilig maakt

➤➤ Carson McCullers *The Heart Is a Lonely Hunter* (1939); grotesk romantisch verhaal over een eenzaam pubermeisje dat steun zoekt bij een doofstomme man

'Go Midwest, young man'

Het beeld van de metropool Chicago in de literatuur is niet erg
flatteus; en de rest van het Midden-Westen komt er ook niet
best af.

De geschiedenis van de Verenigde Staten is er
een van westwaartse expansie: ten koste van de
oorspronkelijke natuur en bevolking van Amerika schoof de *frontier*, de grens tussen beschaving
en wildernis, steeds een stukje op. En in het kielzog van de pioniers volgde de cultuur. Was in de
negentiende eeuw eerst Boston en daarna New
York het centrum van de Amerikaanse literaire
wereld, in het begin van de twintigste eeuw werd
dat Chicago. De stad aan het Michiganmeer in
het Midden-Westen, expansief gegroeid door de
vleesverwerkende industrie en de massale immigratie, ontwikkelde zich tot de broedplaats van
het Amerikaanse naturalisme en de bakermat
van schrijvers als Theodore Dreiser, Sherwood
Anderson en Ernest Hemingway.

Flatteus is het beeld van Chicago in de Amerikaanse literatuur niet. Vooral een '*muckraker*' als
Upton Sinclair legde de misstanden in de stad van
sloppen, spoorrails en slachtvarkens meedogenloos bloot. Zijn inktzwarte immigrantenroman
The Jungle (1906) schudde de autoriteiten wakker
en stond onder meer aan de basis van de Ameri-

kaanse Keuringsdienst van Waren. Maar ook
Frank Norris (*The Pit*) en zijn collega-naturalist
Dreiser (*Sister Carrie*) schilderden de stad af als
een poel van verderf waar de traditionele plat-
telandsdeugden wegspoelden te midden van
schaalvergroting en zedenverwildering. Resten
van de armoede en misdaad die zij beschreven
zijn terug te vinden in het werk van latere schrijvers uit Chicago, zoals Richard Wright, James
Purdy, Saul Bellow en de detectiveschrijfster Sara
Paretsky.

Ook de ommelanden komen er in de Amerikaanse literatuur niet te best af. De archetypische verhalen over het Midden-Westen, *Main Street*
(1920) en *Babbitt* (1922) van Nobelprijswinnaar
Sinclair Lewis, beschrijven verstikkende provin-
ciestadjes waar de hypocrisie en de wanhoop welig tieren; en ook in de verhalenbundel *Winesburg,
Ohio* van Sherwood Anderson is de liefde
voor het kleinschalige leven aangelengd met een
flinke dosis gal. Het is niet moeilijk te zien waar
Jonathan Franzen, zelf opgegroeid in de midwes-
terse buitenwijken, de bouwstenen haalde voor
zijn bestseller *The Corrections*.

Wie op reis gaat naar de Midwest en graag een
rooskleuriger beeld geschetst ziet van zijn bestemming, kan beter Garrison Keillors aandoen-
lijke verhalen over het fictieve stadje Lake Wobegon meenemen. Maar de beste keuze is het werk
van Ernest Hemingway. Deze modernist uit de
Midwest, die niet wist hoe snel hij weg moest komen uit zijn geboortestreek, wijdde enkele van
zijn mooiste korte verhalen aan de wildernis van
Illinois – contrapunt in een oeuvre dat vooral gekenmerkt wordt door oorlog, burgeroorlog, stie-
rengevechten en andere stoere-mannenhobby's.

★ Garrison Keillor *Lake Wobegon Days* (1978); komisch-melancholieke verhalen over een doodnormaal stadje en zijn bewoners

◻ Ernest Hemingway de **'Nick Adams'**-verhalen (1925-1938); auto-biografische verhalen over een jongen die opgroeit in de Midwest en daarna het gevaar in de wereld opzoekt

❖ Jeffrey Eugenides *The Virgin Suicides* (1992); vijf suïcidale zusjes verbijsteren een keurige Amerikaanse buitenwijk

◪ Sinclair Lewis *Babbitt* (1922); een hypocriete zakenman betert zijn leven – en eindigt weer als conservatief

⬍ Sherwood Anderson **Winesburg, Ohio** (1919); ontwikkelingsroman in verhalen over een jongen die opgroeit te midden van gefrustreerde levens

⊕ Robert James Waller *The Bridges of Madison County* (1993); huisvrouw op het platteland moet kiezen tussen haar gezin en haar passie voor een passerende fotograaf

✪ Toni Morrison *Beloved* (1987); modernistisch gruwelverhaal over een voormalige slavin die achtervolgd wordt door de geest van het dochtertje dat ze vermoordde om haar voor slavernij te behoeden

✚ Mark Twain *The Adventures of Tom Sawyer* (1876); kwajongen met gouden hart in klein stadje aan de Mississippi overwint het Kwaad

◆ Harold Brodkey *The Runaway Soul* (1991); proustiaanse en joyceaanse bildungsroman over een joodse wees en zijn serpentige pleegzusje

✖ Theodore Dreiser *Sister Carrie* (1900); een arbeidersmeisje zet haar sex-appeal in om hogerop te komen, en stort haar oudere minnaar en beschermer in het verderf

✳ Richard Wright *Native Son* (1940); interraciale liefde en moord kost een zwarte jongen het leven

▲ Jonathan Franzen *The Corrections* (2001); tragikomedie over een ongelukkige middenklassefamilie die kampt met alle problemen van de moderne tijd

☾ Carl Sandburg *Chicago Poems* (1916); eerste bundel van de meester van het vrije vers en de Amerikaanse spreektaal

◐ Saul Bellow *The Adventures of Augie March* (1953); schelmenroman over een joodse immigrantenzoon die zich een weg baant uit het getto

♥ Sara Paretsky *Indemnity Only* (1982); de vrouwelijke private eye V.I. Warshawski onderzoekt een verdwijning

✗ Frank Norris *The Pit* (1903); een beursspeculant en zijn vrouw in de moderniserende stad

⊙ J.T. Farrell: de **'Studs Lonigan'**-trilogie (1932-1935); naturalistische roman over de arme jeugd van een katholiek-Ierse immigrantenzoon

♛ Paul Theroux *Chicago Loop* (1991); een man vraagt zich af of hij een seriemoordenaar is: lees ook *Cabot Wright Begins* (1964) van James Purdy

HET (WILDE) WESTEN
(ZIE KAART 54)

MINNESOTA

WISCONSIN

MINNEAPOLIS ◪

MICHIGAN

DETROIT ❖

CHICAGO

IOWA ⊕

OHIO ⬍

INDIANA

✪

ILLINOIS

HANNIBAL ✚

HET ZUIDEN
(ZIE KAART 52)

ST.LOUIS ▲◆

MISSOURI

LAKE SHORE DRIVE

♥

✖

☾ ◐

NORTH AVENUE

✳

CERMAK ROAD

✗ ♛ ⊙

CICERO AVENUE

CHICAGO

Wildwestverhalen

**De slagvelden van cowboys en indianen zijn niet de enige
inspiratiebron voor boeken over het Amerikaanse Westen.
Wat te denken van de Californische Droom?**

In het stripverhaal *Lucky Luke et le grand duc* (Morris & Goscinny, 1973) komt een hooggeplaatste Rus naar de laat-negentiende-eeuwse Verenigde Staten om een handelscontract te tekenen met de federale regering. Hij stelt één voorwaarde: voordat hij zijn handtekening zet wil hij een Grand Tour maken door het Wilde Westen dat hij zo goed kent uit de boeken van James Fenimore Cooper. De grootvorst wil per trein naar Abilene in Kansas, waar de ruigste cowboys hun vee komen afleveren; hij wil met een postkoets door prairie en woestijn; hij wil een goldrush meemaken, een roofoverval en bovenal een gevecht met indianen.

Lucky Luke, de eenzame cowboy die de grootvorst tot gids dient, heeft er zijn handen vol aan. Om de hoge gast en zijn tolk geen risico te laten lopen, probeert hij de avonturen zoveel mogelijk te ensceneren – waarbij hij keer op keer door de werkelijkheid wordt ingehaald. Maar de grootvorst heeft niets door. Het Westen is tot zijn onuitsprekelijke tevredenheid precies zoals hij het zich had voorgesteld: '*Da! Da! Fenimore Cooper! Poum poum! Ugh Ugh*'.

James Fenimore Cooper, die in zijn 'Leatherstocking-cyclus' (1823-1841) zijn hoofdpersoon steeds verder naar het Westen laat trekken, staat bekend als de eerste westernschrijver. Zijn romantische beeld van het Wilde Westen als plaats waar de wildernis en de beschaving onzacht met elkaar in aanraking komen, beïnvloedde vele generaties schrijvers – van Karl May (*Winnetou*) en Owen Wister (*The Virginian*) tot Chr. van Abkoude (*Kruimeltje*) en An Rutgers van der Loeff (*De kinderkaravaan*). Pas vanaf de jaren veertig begonnen schrijvers zich af te zetten tegen de romantische clichés van de erven Cooper: de revisionistische western, met minder zwartwitpersonages en meer aandacht voor de wreedheid en alledaagsheid van het Westen, werd een genre op zichzelf. De deprimerend-realistische verhalen van Raymond Carver, over moderne westerners die voortploeteren in hun mislukte levens, zou je daar de uiterste consequentie van kunnen noemen.

Het Amerikaanse Westen is groot, meer omvattend in elk geval dan de slagvelden van cowboys en indianen. Het behelst ook – '*Go West, young man*' – Californië, de plaats waar de Amerikaanse Droom het hardst (en meestal vergeefs) wordt nagejaagd. Vele in de Golden State gesitueerde romans gaan dan ook over sappelende immigranten die ternauwernood het hoofd boven water kunnen houden. *The Grapes of Wrath* van John Steinbeck is daarvan het indrukwekkendste voorbeeld, maar vlak ook moderne variaties als *The Joy Luck Club* (Amy Tan) en *A Heartbreaking Work of Staggering Genius* (Dave Eggers) niet uit.

★ David Guterson *Snow Falling on Cedars* (1995); liefdesverhaal, rechtbankthriller en politieke aanklacht verenigd in een verhaal over een raadselachtige moordzaak

◩ Sherman Alexie *Indian Killer* (1996); een indiaanse seriemoordenaar opereert uit wraak voor het onrecht dat zijn volk is aangedaan

◉ Raymond Carver *Will You Please Be Quiet, Please* (1976); de even anonieme als wanhopige levens van kleinsteeds Amerika in verhaalvorm

✚ David Lodge *Changing Places* (1975); een schlemielige academicus proeft tijdens een uitwisseling aan het campusleven van de late jaren zestig

▲ Dashiell Hammett *The Maltese Falcon* (1930); privé-detective Sam Spade ontrafelt een ingewikkelde intrige rondom een middeleeuws kunstvoorwerp

◆ Allen Ginsberg *Howl and Other Poems* (1956); eerste bundel van de voorman van de Beat Generation – een tijdsbeeld én een plaatsbeeld, vol cultuurkritiek

▢ Vikram Seth *The Golden Gate* (1986); door Poesjkin beïnvloede roman in dichtvorm over modern yuppieleven in Frisco

❖ Dave Eggers *A Heartbreaking Work of Staggering Genius* (2003); postmodern weesjongensverhaal, gesitueerd in hip San Francisco

⇕ Tobias Wolff *This Boy's Life* (1989); autobiografische roman over een ontspoorde jeugd

✪ Thomas Berger *Little Big Man* (1964); een 111-jarige vertelt over zijn twee levens – eerst als Cheyenne, daarna als wildwestheld

◑ Annie Proulx *Close Range* (1998); verhalenbundel (ook bekend als *The Governors of Wyoming*) die het Westen ontmythologiseert

◉ An Rutgers van der Loeff *De kinderkaravaan* (1949); zeven pionierskinderen overleven op hun trek naar Oregon de Rocky Mountains

✖ John Steinbeck *The Grapes of Wrath* (1939); een geëngageerde én bijbelse roman over een arme boerenfamilie uit Oklahoma die de Amerikaanse Droom najaagt in de harde jaren dertig

❖ Douglas Coupland *Generation X* (1991); drie gedesillusioneerde twintigers ontvluchten de consumptiemaatschappij en vertellen elkaar verhalen in de woestijn

♔ Cormac McCarthy *Blood Meridian* (1985); een jongen sluit zich aan bij een bende scalpjagers die door een charismatische wreedaard wordt geleid

☾ Frank Norris *The Octopus* (1901); een dichter neemt het op voor bedreigde Californische boeren die strijden tegen een spoorwegmaatschappij

♥ Zane Grey *Riders of the Purple Sage* (1912); klassiek en enigszins gedateerd cowboy-epos: inspiratiebron voor talloze westerns

» Larry McMurtry *Lonesome Dove* (1985); Pulitzerprijs-winnende avonturen van twee Texaanse cowboys

HET MIDDEN-WESTEN (ZIE KAART 53)

✗ Truman Capote *In Cold Blood* (1966); het waargebeurde verhaal van twee jongens die een familie vermoorden en daarvoor ter dood veroordeeld worden

★ CONCRETE
▢ SEATTLE
WASHINGTON
OREGON
NEVADA
CALIFORNIË
BERKELEY
SAN FRANCISCO
S. JOAQUIN VALLEY
✗ BAKERSFIELD
MOJAVE DESERT
LOS ANGELES
(ZIE KAART 55)
ARIZONA
IDAHO
MONTANA
WYOMING
UTAH
COLORADO
NEW MEXICO
NORTH DAKOTA
SOUTH DAKOTA
NEBRASKA
KANSAS
OKLAHOMA
TEXAS
HET ZUIDEN (ZIE KAART 52)

Loodgieten in de morele afvoerput

Voor schrijvers is LA een misdaadparadijs en Hollywood een vergaarbak van halftalenten die zichzelf moeten verloochenen om het hoofd boven water te houden.

Los Angeles, California is een wonderlijke stad – zelfs naar Amerikaanse maatstaven. Sommigen zouden het niet eens een stad noemen: het heeft een lang strand, eindeloze boulevards en miljoenen inwoners, maar mist een centrum en kent nauwelijks straatleven. Niemand gaat te voet in LA; de afstanden zijn te groot, de smog is te dik, de auto is de maat van alle dingen, en alleen op de *freeways* voelt de Angeleno zich vrij. Los Angeles is een verzameling dure en minder dure buitenwijken, badend in neon en bijeengehouden door een net van snelwegen. Groot geworden door de computerindustrie en de droomfabrieken van Hollywood, geldt het als de apotheose van de Amerikaanse cultuur in de twintigste eeuw.

Literair beschouwd is LA een stad van pessimisten, van schrijvers als Bret Easton Ellis (*Less Than Zero*, *The Informers*) die in hun romans laten zien hoe gemakkelijk het Westkust-hedonisme kan omslaan in verveling, en vrijheid & ongebondenheid in geweld en perversie. Geen wonder dat de

misdaadroman verreweg het bloeiendste genre is in de Zuid-Californische literatuur. Sinds Dashiell Hammett en James M. Cain omstreeks 1930 hun baanbrekende 'romans noirs' plaatsten in het maatschappelijke afvoerputje aan de Stille Oceaan, is LA de favoriete speeltuin van maffiosi, corrupte bestuurders, privé-detectives en politierechercheurs. Opwekkende kost is het niet, hoewel Evelyn Waugh, Michael Tolkin en Elmore Leonard satires schreven waarin flink wat te lachen valt. Maar die gaan dan ook over Hollywood, een in alle opzichten dankbaar onderwerp dat voor de literatuur werd 'ontdekt' door Nathanael West (1903-1940). Zijn apocalyptische roman *The Day of the Locust* geldt als de eerste waarin de uitwassen van het studiosysteem – tirannieke moguls, geldverslindende plannen, misbruikte provinciaaltjes – onder de loep werden gelegd.

Misschien wel de meest complete chroniqueur van Los Angeles en omgeving is Raymond Chandler (1888-1959). In zijn romans over de private eye Philip Marlowe, een moderne ridder die zich staande houdt in een wereld van (morele) corruptie, komen de misdaden en de schimmige dwarsverbanden tussen de rijke en arme wijken van LA superieur samen. Bijna allemaal werden ze verfilmd; wat niet meer dan rechtvaardig is aangezien Chandler, net als vele collega-schrijvers, jarenlang in Hollywood werkzaam was. Hij schreef onder meer de scenario's voor *The Blue Dahlia* (1946, naar een eigen verhaal) en de verzekeringsthriller *Double Indemnity*, naar de gelijknamige roman van James Cain, die net als Hammett een van zijn grote voorbeelden was.

★ John Fante *Ask the Dust* (1939); schrijver in spe verhuist naar LA om stof op te doen voor zijn eerste roman

◆ Evelyn Waugh *The Loved One* (1948); zwarte satire over de Californische begrafenispraktijken werd in 1965 verfilmd naar een scenario van Christopher Isherwood

❖ James Ellroy '*L.A. Quartet*' (1987-1995); in *The Black Dahlia*, *The Big Nowhere*, het succesrijk verfilmde *L.A. Confidential*, en *White Jazz* worden mensen bedrogen, vernederd, gemarteld en vermoord - zonder dat ergens rechtvaardigheid of verlossing gloort

◪ Walter Mosley *Devil in a Blue Dress* (1990); eerste avontuur van de zwarte detective Easy Rawlins in het politiek explosieve Los Angeles van de jaren veertig ; verfilmd met Denzel Washington in de hoofdrol

⬢ Leon de Winter *God's Gym* (2002); een joodse scenarist in Venice verliest zijn dochter, raakt in een crisis en laat zich gebruiken door de Israelische geheime dienst

✚ T.C. Boyle *The Tortilla Curtain* (1995); een komitragedie waarin de levens van een Mexicaanse gastarbeider en een Californische liberaal letterlijk op elkaar botsen

✖ Bret Easton Ellis *Less Than Zero* (1985); nihilistische satire over de verwende rijke jeugd werd zonder de scherpe kantjes slecht verfilmd

▲ Raymond Chandler *The Big Sleep* (1939); private eye Philip Marlowe (Humphrey Bogart in de Howard Hawks-verfilming) maakt zijn opwachting in een broeierige roman over misdaad en familiegeheimen in de jaren dertig

◘ Charles Bukowski *Ejaculations, Exhibitions, and General Tales of Ordinary Madness* (1972); des schrijvers alter ego beweegt zich zuipend en neukend in de goedkope bars en smerige hotelkamers van Los Angeles – tien jaar later hopeloos verfilmd door de Italiaan Marco Ferreri

↕ Dashiell Hammett *The Maltese Falcon* (1930); private eye Sam Spade raakt verstrikt in een web van hebzucht en bedrog; Bogart schitterde in de verfilming van John Huston

✪ Michael Connelly *Angel's Flight* (1998); politieman Harry Bosch onderzoekt een moord van raciale spanningen in LA

☾ James M. Cain *The Postman Always Rings Twice* (1934); vijf keer (onder meer met Jack Nicholson en Jessica Lange) verfilmde 'roman noir' over passie die tot moord – maar niet tot geluk – leidt

⊙ F. Scott Fitzgerald *The Last Tycoon* (1941); onvoltooide roman over een verliefde werkverslaafde filmproducer werd verfilmd door Elia Kazan met Robert De Niro in de hoofdrol

✹ Nathanael West *The Day of the Locust* (1939); 'Tinseltown' blijkt een vergaarbak van losers in deze door John Schlesinger verfilmde noodlotsroman

♥ Gore Vidal *Myra Breckinridge* (1968); in deze Hollywood-satire, gebaseerd op Vidals ervaringen als scenarist, blijkt de verteller een transseksueel – John Huston maakte er zijn slechtste film van

✗ Elmore Leonard *Get Shorty* (1990); maffia-onderknuppel ontpopt zich tot succesvol filmproducer; John Travolta schitterde in de verfilming

♛ Michael Tolkin *The Player* (1991); de basis voor Robert Altmans bijtende Hollywood-satire is een knappe roman over de goeden, de slechten en de gewetenlozen

◑ Thomas Pynchon *The Crying of Lot 49* (1966); satire over een vrouw die op het spoor komt van een mysterieuze ondergrondse organisatie – onverfilmbaar

LA NATIONAL FOREST

FOREST LAWN CEMETRY

• SANTA MONICA

VENICE BEACH

GROTE OCEAAN

SANTA ANA •

HOLLYWOOD

FOREST LAWN CEMETRY

SUNSET BLVD.
HOLLYWOOD BLVD.
S. MONICA BLVD.

• SANTA MONICA

Waar Oost en West tezamen stromen...

Is de literatuur, en vooral die van de migrantschrijvers, de enige ontmoetingsplaats van de Indiase en de Britse cultuur?

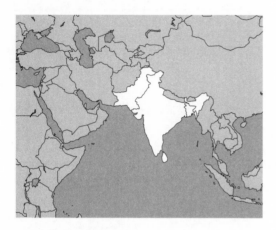

'Middernachtskinderen' worden ze genoemd, de Brits-Indische schrijvers die na de onafhankelijkheid van India en Pakistan – 15 augustus 1947 om 00.00 uur – de wereld veroverden. Hun belangrijkste vertegenwoordiger is de in Bombay geboren Salman Rushdie, die met het magisch-realistische epos *Midnight's Children* (1981) de Booker Prize won, en zich bewees als een meesterverteller die het beste uit de oosterse en westerse tradities in zich verenigde. In zijn latere boeken (zoals de verketterde *Satanic Verses* uit 1988) was hij niet alleen schatplichtig aan experimentele stilisten als James Joyce en Laurence Sterne maar ook aan *De vertellingen van 1001 nacht* en de melodramatische Hindi-films waarom zijn geboortestad (bijgenaamd Bollywood) beroemd is.

Salman Rushdie mag dan de naamgever van de nieuwe generatie zijn, de echte peetvaders zijn Rabindranath Tagore (1861-1941) en R.K. Narayan (1906-2001). De eerste, een dichter en korte-verhalenschrijver uit Calcutta die in het Bengaals en het Engels schreef, kreeg in 1913 de Nobelprijs voor literatuur – als eerste Aziaat wordt er altijd bij gezegd, maar de Zweedse Academie liet niet na te onderstrepen dat Tagore vooral gelauwerd werd om de 'eigen Engelse woorden' waarmee hij 'zijn poëtische gedachten tot deel van de westerse literatuur maakte'. De Engelstalige R.K. Narayan, die bijna al zijn romans en verhalen situeerde in het fictieve stadje Malgudi, is de directe voorloper van Rushdie, al was zijn westerse voorbeeld niet James Joyce of Günter Grass, maar Anton Tsjechov.

Voor Middernachtskinderen als Vikram Seth en Amitav Ghosh, die bijna allemaal (een deel van) hun opleiding volgden in Groot-Brittannië, is India het land van de volheid, van de kleurrijke chaos en vooral van de dunne grens tussen werkelijkheid en fantasie. Voor buitenlandse schrijvers is het vóór alles de plaats van *'East is East and West is West, and never the twain shall meet'*, zoals de in Bombay geboren Ierse Brit Rudyard Kipling het formuleerde. Dat de Indiase en Britse cultuur niet te verenigen zijn, maakte Kipling duidelijk in *Kim* (1901); twee decennia later illustreerde E.M. Forster die stelling met zijn terecht fameuze roman over de botsing der culturen, *A Passage to India*. Het pessimisme van Kipling en Forster over de onhaalbaarheid van de multiculturele samenleving doet tachtig jaar na dato nog steeds actueel aan. Maar toch wordt het deels geloochend, en wel door het succes van schrijvers als Rushdie: in hun werk vloeien Oost en West op een voorbeeldige manier samen.

★ Rudyard Kipling *Kim* (1901); een Anglo-Ierse wees trekt met een Tibetaanse lama door India en moet kiezen tussen zijn Indiase en Britse wortels

✪ Ruth Prawer Jhabvala *Heat and Dust* (1975); twee generaties Britse vrouwen in India tijdens en na de Britse overheersing

✳ Vikram Seth *A Suitable Boy* (1993); epische trilogie-in-één-deel over een vrouw op zoek naar een geschikte huwelijkskandidaat

◩ Salman Rushdie *Midnight's Children* (1981); een op het uur van India's onafhankelijkheid geboren wonderkind verbindt met magisch-realistische flair zijn familiegeschiedenis en de ontwikkeling van zijn jonge vaderland

▲ E.M. Forster *A Passage to India* (1924); een schijnbaar verlichte Engelse vrouw in koloniaal Indië beschuldigt een Indiër ervan dat hij haar in de Marabar-grotten heeft aangerand

◑ W. Somerset Maugham *The Razor's Edge* (1944); een materialistische Amerikaan leert de waarde van onthechting in een Indiase ashram

✵ Rohinton Mistry *Tales from Firosha Baag* (1987); korte verhalen over de bewoners van een flatgebouw in Bombay

◆ Shusaku Endo *Diepe rivier* (1992); Japanse toeristen ondervinden aan de Ganges de kracht van de goddelijke liefde

◉ Dandin *De avonturen van de tien prinsen* (zevende eeuw); oud-Indiase schelmen-roman

✤ John Irving *A Son of the Circus* (1993); een Indiaas-Canadese dokter raakt verstrikt in een Bombayse moordzaak

□ Manil Suri *The Death of Vishnu* (2001); een zwerver-klusjesman becommentarieert de bewoners van een appartementengebouw

❖ William Sutcliffe *Are You Experienced?* (1998); satire over een Engelsman die als rugzaktoerist een hopeloze liefde nareist

↕ Arundhati Roy *The God of Small Things* (1997); poëtisch familiedrama over een tweeling die jong gescheiden wordt en elkaar na 23 jaar terugziet; won in 1997 de Booker Prize

♥ F. Springer *Bougainville* (1981); een diplomaat-schrijver over het Bangladesh van na de onafhankelijkheid van 1971

✘ J.G. Farrell *The Siege of Krishnapur* (1973); zwarte komedie over een Brits garnizoen dat tijdens de Indiase Muiterij van 1857 vergeefs de chaos probeert te bedwingen

♛ Amitav Ghosh *The Shadow Lines* (1988); familie-roman over een liefde in Engeland en India

☾ R.K. Narayan *The Vendor of Sweets* (1967); het rustige leven van een vrome hindoe wordt verstoord door de komst van zijn nietsnuttige zoon uit Delhi

≫ Rabindranath Tagore *Gitanjali Song Offerings* (1912); Nobelprijswinnende Engelse vertaling van middeleeuwse Bengaalse religieuze poëzie

✗ Michael Ondaatje *Anil's Ghost* (2000); hallucinatoire roman over een vrouw die onderzoek doet naar de slachtoffers van de burgeroorlog in Sri Lanka

PAKISTAN
LAHORE ★
(NEW) DELHI ✪ ✳
GANGES
▲
VARANASI ◆
BANGLA-DESH
CALCUTTA ♛
KRISHNAPUR ✗
♥
◑ ◉
✤ ✵
□ ✤ □ BOMBAY
GOA ❖
KERALA
MADRAS ☾
↕
SRI LANKA ✗
✗

Wilde zwanen boven de Zielberg

Van de Muur tot Mao – de bewogen Chinese geschiedenis inspireerde zowel inheemse schrijvers als geïntrigeerde westerlingen.

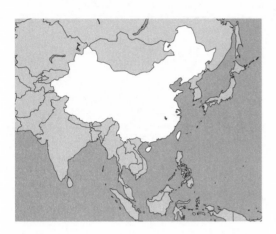

De westerse belangstelling voor China als locatie voor romans en verhalen begon met de dertiende-eeuwse ontdekkingsreiziger Marco Polo. Zijn *Boek van de miljoen wonderen* werd gepresenteerd als het ware verslag van zijn reizen door het rijk van Koeblai Khan, maar bleek eeuwen later voor een deel uit de duim gezogen. Grappig genoeg werd Marco Polo in 1972 zelf een personage in literaire fictie, toen de postmodernist Italo Calvino hem in *De onzichtbare steden* opvoerde als een fantast die de grote Khan vertelt over tientallen niet-bestaande steden die zich aan de grenzen van zijn rijk zouden bevinden.

China, met zijn grote steden, zijn uitgestrekte platteland en zijn bewogen geschiedenis, is altijd een spectaculair decor geweest voor de literatuur. In de eerste plaats die van de eigen schrijvers, of het nu de middeleeuwse dichter Po Tjiu-i was, de verhalenschrijver Lu Xun (1881-1936), of de winnaar van de Nobelprijs 2000 Gao Xingjian,

die in zijn autobiografische roman *Zielberg* oosterse filosofie en westers existentialisme met elkaar verenigde. Maar vooral ook die van geïntrigeerde westerlingen. Onze nationale kosmopoliet J. Slauerhoff (die als scheepsarts het Verre Oosten bezocht) is een goed voorbeeld, zij het niet half zo succesrijk als de Amerikaanse schrijfster Pearl S. Buck, die voor haar romans over het harde Chinese leven (*East Wind: West Wind* en '*The House of Earth Trilogy*') in 1938 zelfs de Nobelprijs kreeg. En in de eigentijdse literatuur zijn het met name Britse schrijvers die multiculturele steden als Hongkong en Shanghai uitkiezen als locatie.

De favoriete onderwerpen van de schrijver in China zijn de gevolgen van de (eerst nationalistische, later communistische) revolutie in de twintigste eeuw. China's meest geëerde prozaïst Lu Xun schreef al in de jaren twintig over de kloof tussen de hervormingsgezinde elite en de boerenbevolking, terwijl de Fransman André Malraux in 1933 zijn veelgeprezen roman *La condition humaine* wijdde aan een bloedige episode uit de burgeroorlog. Sindsdien waren het vooral de uitwassen van het maoïsme – oorlog, hongersnood, heropvoeding, Culturele Revolutie, showprocessen – die literair werden verwerkt. Het gruwelijkste en succesrijkste voorbeeld daarvan, *Wilde zwanen* (1991) van Jung Chang, was weliswaar non-fictie, maar zou een lange parade van al dan niet verzonnen Chinese-vrouwenbiografieen in gang zetten. Lulu Wang, de Maastrichtse Pekinese, werd er in Nederland een beroemdheid mee.

★ Pearl S. Buck *The Good Earth* (1931); humanistische en bijna antropologische roman over een Chinese boer die rijk wordt en daarna weer arm – Nobelprijswinnend

⇕ Wang Shuo *Spannend spel* (1994); woordgrappen en plat-Beijingse dialogen in het verhaal van een smoezelige ex-soldaat die van moord wordt verdacht

✖ Zhang X.L. *Doodgaan went* (1989); modernistische afrekening met de gruwelen van de 'Culturele Revolutie' speelt een spel met de verhouding tussen schrijver en hoofdpersoon, werkelijkheid en fictie

⧖ Qian Zhongshu *De belegerde stad* (1946); tragikomedie over een Don Juan in vooroorlogs Shanghai die als docent mislukt in de binnenlanden

◪ Robert van Gulik *The Chinese Maze Murders* (1956) en *The Chinese Bell Murders* (1958); de eerste twee romans over Rechter Tie, een Sherlock Holmes in de Middeleeuwen

✪ Lulu Wang *Het lelietheater* (1997); bloemrijk geschreven autobiografische roman over een vrouw in postmaoïstisch China

❖ J. Slauerhoff *Het lente-eiland* (1930); korte verhalen die zich net als 'Such Is Life in China' (uit *Schuim en as*) deels afspelen in Shanghai

☾ Po Tjiu-i (Bai Juyi) *Gedichten* (ca. 820); intieme weergaven van het dagelijkse leven van de staatsman aan wie Slauerhoff nog verhalen wijdde

◑ André Malraux *La condition humaine* (1933); drie revolutionaire helden offeren zich op tijdens de strijd van de communistische opstandelingen tegen de nationalist Tjiang k'ai-sjek

☸ Amy Tan *The Joy Luck Club* (1989); Chinese en Amerikaanse levensverhalen, verteld aan de mahjongtafel door vier moeders en dochters

✤ Mo Yan *De knoflookliederen* (1991); grofhumoristisch, veelstemmig verhaal over boeren in het Paradijs-gewest die in opstand komen tegen de tirannieke overheid

⊙ Kazuo Ishiguro *When We Were Orphans* (2000); een oude detective reconstrueert de raadselachtige verdwijning van zijn ouders in het Shanghai van de jaren dertig

◨ Hergé *Tintin au Tibet* (1958-1959); stripverhaal over een journalist die in de noordelijke Himalaya op zoek gaat naar de jongen met wie hij in *De blauwe lotus* (1934-1935) bevriend raakte

 ❖ Gao Xingjian *Zielberg* (1989); autobiografische roman over een wandeltocht langs de Jangtserivier die leest als een collage van reisnotities, volksverhalen, moralistische uitweidingen, liefdesavonturen en (voorzichtige) uitvallen tegen autoritaire leiders

▲ Timothy Mo *An Insular Possession* (1986); veelstijlige historie over twee Amerikanen in China die verwikkeld raken in de negentiende-eeuwse Opiumoorlogen

♥ De nostalgische verhalen over het dorpsleven in Zuidoost-China van Lu Xun; vaak over intellectuelen die uit de hoofdstad terugkeren naar hun geboortedorp, om te ontdekken hoe groot de kloof is tussen de hervormingsgezinde elite en de simpele bevolking

 ♦ John Lanchester *Fragrant Harbour* (2002); twee Engelsen en een Chinees maken carrière in het kapitalistische Hongkong van de jaren 90

♛ Paul Theroux *Kowloon Tong* (1997); roman over de ondergang van een koloniale familie in bijna-Chinees Hongkong leest als een politieke thriller

CHINESE MUUR

BEIJING (PEKING)

HENAN

TIBET

SHANGHAI

JANGTSEKIANG

ZHEJIANG

GUANGZHOU (CANTON)

HONGKONG

Schrijven in (ki)mono

Droefheid ('*mono no aware*'), nostalgie en de aantrekkingskracht van het Westen zijn de grote thema's van de Japanse
literatuur.

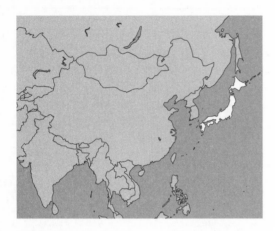

Geheimzinnige geisha's, slovende *salari*-mannen, meedogenloze militairen; verstilde tempels, bloeiende kersenbomen en natuurlijk de berg Fuji – het beeld van Japan in de westerse literatuur is eendimensionaal. Misschien ligt dat aan de geslotenheid van de samenleving, misschien aan de luiheid van de westerse schrijver. En misschien moeten we daar helemaal niet moeilijk over doen. Per slot van rekening is ook de onderwerpskeuze van de *Japanse* schrijver beperkt. De Nippon-specialist Ian Buruma heeft ooit opgemerkt dat de meest voorkomende woorden in de klassieke Japanse literatuur 'kanashimi' (droefheid) en '*natsukashisa*' (nostalgie) zijn. Er wordt in Japanse romans heel wat afgehuild uit heimwee naar alles wat voorbij is; terwijl in de drieregelige, 17 lettergrepen tellende haiku bij voorkeur een poging wordt gedaan om de tijd stil te zetten. *Mono no aware*, de droefheid der dingen, was al in de elfde eeuw het overkoepelende thema van *Het*

verhaal van Genji, een verzameling verhalen over een legendarische prins en serieminnaar die werd opgetekend door de hofdame Murasaki Shikibu. De invloed van de *Genji monogatari* (beschouwd als de eerste roman uit de wereldliteratuur) op de Japanse letterkunde is niet te overschatten: bijna alle grote schrijvers, en met name Junichiro Tanizaki (*De liefde van een dwaas*, 1925) en Yasunari Kawabata (*Sneeuwland*), hebben er motieven en zelfs verhalen aan ontleend. Het is de *Decamerone* van de Oosterse cultuur; en wie niet geboeid raakt door het tragische lot van de prins of door het sublieme beeld van het Japanse hofleven in de Heian-periode, kan het nationale epos van Japan ook nog lezen voor de poëzie, waarvan de dialogen doortrokken zijn.

Het andere grote thema in de Japanse literatuur is de aantrekkingskracht van het Westen – niet verwonderlijk in een samenleving die tot in de negentiende eeuw praktisch afgesloten was van buitenlandse invloeden. Niet alleen de Nobelprijswinnaar Kenzaburo Oe en de fanatieke traditionalist Yukio Mishima hebben de modernisering van Japan tot inzet van hun romans gemaakt, ook jonge schrijvers als Banana Yoshimoto (*Kitchen*) en Haruki Murakami. Vooral de laatste, begonnen als vertaler van Raymond Carver en John Irving, heeft afgerekend met het Japan van de lakschermpjes en de theeceremonie, en schrijft romans waarin Japanse thema's worden vermengd met westerse verteltechnieken (*De opwindvogelkronieken*, *Sputnik Sweetheart*). Als het land van de rijzende zon weer aan de beurt is voor de Nobelprijs, mag Murakami hem krijgen.

★ Murasaki Shikibu *Het verhaal van Genji* (1006); omvangrijke verzameling verhalen over een prins annex serieminnaar

↕ Marguerite Yourcenar *Nouvelles orientales* (1938); bundel met onder meer een speculatief verhaal over de bij Murasaki niet beschreven laatste liefde en dood van prins Genji

⧖ Alessandro Baricco *Zijde* (1997); een 19de-eeuwse Franse zijde-rupshandelaar wordt verleid door een geheimzinnige vrouw

◨ Arthur Golden *Memoirs of a Geisha* (1997); een oude geisha vertelt haar levensverhaal

✪ Jay McInerney *Ransom* (1985); een Amerikaanse expat maakt onveilig Tokio onveilig

◉ Haruki Murakami *Norwegian Wood* (1988); een jongen wordt in het revolutiejaar 1968 verliefd op een ongenaakbaar meisje

▲ Yukio Mishima *Het Gouden Paviljoen* (1956); boeddhistische monnik sticht brand om heiligdom uit Amerikaanse handen te houden

⊙ Matsuo Basho *De smalle weg* (1690); proza en poëzie van de 17de-eeuwse meester van de haiku

♥ Kôbô Abe *De vrouw in het zand* (1962); surrealistische novelle over een vrouw die een entomoloog in een kuil gevangen houdt

✿ Gail Tsukiyama *De tuin van de Samoerai* (1996); een Chinese student herstelt van tbc en raakt betrokken bij de levens in het kuuroord

♛ Yasunari Kawabata *Sneeuw-land* (1948); een estheet wordt verliefd op een oudere geisha in een bergdorp

HOKKAIDO

HONSHU

SAKATA

NIIGATA

FUJI

TOKIO (EDO)

KYOTO

TARUMI KOBE

OSAKA

HIROSHIMA

SHIKOKU

NAGASAKI

KYUSHU

≫ James Clavell *Shogun* (1975); een zeventiende-eeuwse Engelse zeeman wordt Groot In Japan onder de shogun Tokugawa

◆ Shusaku Endo *Stilte* (1966); een zeventiende-eeuwse christelijke missionaris wordt vervolgd en zweert zijn geloof af

❀ Cees Nooteboom *Mokusei* (1982); een Hollandse fotograaf wordt verliefd op zijn model en verliest haar

↤ Amélie Nothomb *Stupeurs et tremblements* (1999); autobiografische roman over een Belgische vrouw die gaat werken bij een Japanse multinational

▢ Masuji Ibuse *Zwarte regen* (1966); een man probeert verder te leven onder de dreiging van de fall-out van de eerste atoombom

✘ Kenzaburo Oe *De knoppen breken* (1958); existentialistische roman over de losgeslagen plattelandsjeugd na de Tweede Wereldoorlog

◑ Monzaemon Chikamatsu *De liefdeszelfmoord op Amijima* (ca 1700); melodrama van de grootste der kabuki-toneelschrijvers

❖ Kazuo Ishiguro *An Artist of the Floating World* (1986); een oude schilder wordt door zijn dochters gedwongen zijn beladen rol vóór en tijdens de Tweede Wereldoorlog te bezien

☾ Junichiro Tanizaki *Stille sneeuw-val* (1943-1948); epos over het wel en wee van vier zusters uit een middenklassefamilie in een moderniserende stad

■ Banana Yoshimoto *Kitchen* (1988); twee verhalen over de eenzaamheid van de jeugd in de moderne grote stad

Melkkoeien in de sawa

Hoezo 'The empire writes back'? Terwijl Engeland en Frankrijk hun literatuur verrijkt zien met schrijvers uit het voormalige imperium, moet je de Indonesische schrijvers in het Nederlands met een lantaarntje zoeken.

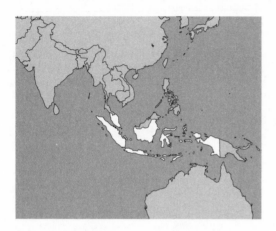

Een literaire melkkoe. Zo heette Nederlands-Indië al in de negentiende eeuw bij Conrad Busken Huet. 'Wanneer onze kleinzonen eenmaal aan het katalogiseren gaan,' zo voorspelde de gevreesde criticus, 'dan zullen zij zich verbazen over het cijfer der nederlandschen letterkundigen van beiderlei geslacht, door wie aan deze speen getrokken is.' En hij kreeg gelijk. Sinds Willem van Hogendorp in zijn 'zedekundige vertelling' *Kraspoekol* (1780) de gevaren van 'strengheid jegens de slaaven' romantiseerde, hebben honderden schrijvers de Indische (koloniale) ervaring tot onderwerp van fictie gemaakt. De beroemdsten zijn zonder twijfel Multatuli, Louis Couperus en Hella Haasse, maar ook minder grote namen als Arthur Japin (*De zwarte met het witte hart*) en Adriaan van Dis (*Indische duinen*) maakten het koloniaal verleden van de Republiek Indonesië tot een van de kenmerkendste thema's van de Nederlandse literatuur.

'De boeken uit de Nederlands-Indische literaire traditie liggen in elkaars verlengde, alsof de schrijvers in een estafette het stokje aan elkaar doorgeven.' Aldus Kester Freriks, die debuteerde met de nostalgische verhalenbundel *Grand Hotel Lembang* (1979) in een artikel in *NRC Handelsblad*. Couperus schreef in navolging van P.A. Daum over de *goena-goena*, de stille kracht, van het Oosten; Haasse moderniseerde in *Oeroeg* (1948) het verhaal van een teloorgaande interraciale vriendschap in *Orpheus in de dessa* (Augusta de Wit, 1903); Helga Ruebsamen sloot in *Het lied en de waarheid* aan bij de afscheid-van-Indië-roman *Nog pas gisteren* (1951) van Maria Dermoût.

Deze selectie maakt al duidelijk dat de Indische postkoloniale literatuur in het Nederlands beperkt is gebleven tot proza en poëzie van de (zoons en dochters van de) kolonisatoren. In het onafhankelijk Indonesië van na de Tweede Wereldoorlog is het Bahasa Indonesia de (literaire) voertaal geworden; anders dan Engeland en Frankrijk profiteert Nederland dus niet van een *'empire-writes-back'*-situatie, die grootheden als Salman Rushdie en Maryse Condé heeft voortgebracht. Van de weeromstuit lijkt het alsof Nederland blind is geworden voor de nieuwe Indonesische literatuur. Dichters als Rendra en Toety Nurhadi genieten dankzij festivals als Poetry International en Winternachten nog enige bekendheid, maar van de naoorlogse Indonesische prozaschrijvers zijn vooral de eeuwige Nobelprijskandidaat Pramoedya Ananta Toer en de controversiële Ayu Utami vertaald. Wie op Indonesische locaties Indonesische boeken wil lezen, zal verder moeten kijken dan de kudde Hollandse melkkoeien groot is.

★ M.H. Székely Lulofs *Rubber* (1931); jong echtpaar zoekt geluk in het decadente plantersmilieu

▲ Joseph Conrad *Lord Jim* (1900); een schuldbewuste bootsman doet in het oerwoud boete voor zijn impuls om een zinkend schip vol pelgrims in de steek te laten

⊗ Aya Zikken *De atlasvlinder* (1958); een meisje tussen kindertijd en volwassenheid en tussen Europees rationalisme en Indische magie

■ Maria Dermoût *De tienduizend dingen* (1955); Indische sferen in een raamvertelling over meervoudige moord anno 1913

 Ayu Utami *Samans missie* (1999); politiek en seksueel controversiële roman over een priester en vijf vrouwen die zijn leven hebben gekruist

MEDAN

KALIMANTAN (BORNEO)

MOLUKKEN

SUMATRA

SULAWESI (CELEBES)

IRIAN JAYA

JAVA   BALI

✜ Beb Vuyk *Het laatste huis van de wereld* (1939); kroniek over twee pioniers op de Molukken

◆ Johan Fabricius *Bali. Eiland der demonen* (1941); roman over een Zweedse schilder en zijn Indonesische model en geliefde

◑ Max de Bruijn *Expats* (2001); nietsontziende blik op de karavaan van neokolonialistische uitvreters in het internationale bedrijfsleven

❖ Multatuli *Max Havelaar* (1860); een idealistische assistent-resident vecht vergeefs tegen corruptie en wanbestuur

♛ Jeroen Brouwers *Bezonken rood* (1981); controversiële herinneringen aan een jeugd in het Jappenkamp

❅ Pramoedya Ananta Toer *Kara Buru* (de 'Buru-tetralogie', 1980-1988); vier romans over een Javaanse jongen die zich ontwikkelt tot een antikolonialistische voorman

♥ P.A. Daum *Uit de suiker in de tabak* (1883); naturalistische roman over Nederlanders in het Indië van 'tempo doeloe'

▫ E. du Perron *Het land van herkomst* (1935); een schrijver boekstaaft zijn Bildung in Batavia en Parijs

☾ Rendra *Ballade der beminde mensen* (1957); maatschappijkritische poëzie

JAKARTA ◑❖ ♥▫

↕ ✗ ◉ BANDUNG

❅ JAVA

MADOERA

☾ SURAKARTA

LABUWANGI ✪

↕ Helga Ruebsamen *Het lied en de waarheid* (1997); een kind wordt net voor de Tweede Wereldoorlog uit het Indische paradijs getild

✗ F. Springer *Bandoeng-Bandung* (1993); een oudere politicus wordt geconfronteerd met zijn Indische verleden

 ◉ Hella Haasse *Heren van de thee* (1992); documentaire roman over een planterpionier in Indië die zijn vrouw en familie opoffert aan zijn ambities

✪ Louis Couperus *De stille kracht* (1900); een hardwerkende resident en zijn overspelige vrouw worden getroffen door 'goena-goena'

✖ Jan Wolkers *De kus* (1977); een georganiseerde reis door Indonesië frist herinneringen op van twee veteranen

Vivisectie op de tegenvoeters

Literatuur over Australië gaat over het effect van het uitgestrekte landschap op de menselijke ziel. Lees de romans van Patrick White en Peter Carey.

'Wij hebben niets gemeen met de Engelsen behalve onze taal,' schreef de Australische schrijver Henry Lawson aan het eind van de negentiende eeuw. De blanke Australiërs, merendeels afstammelingen van de bewoners van strafkolonies (en hun bewakers), bewoonden een land dat in heel veel *letterlijk* het tegenovergestelde van Engeland was. Als in Londen de ochtend aanbrak, begon de avond in Canberra; als de zomer begon in Bristol, brak de winter aan in Brisbane; en terwijl je in Brittannië uitkeek over groene weiden en witte kliffen, zag je in Australië uitgestrekte woestijnen en rode rotsen.

Je zou dan ook verwachten dat de Australische literatuur van begin af aan lijnrecht tegenover die van het voormalige moederland stond. Maar nee. De eerste Australische auteurs hadden juist moeite om zich aan de aantrekkingskracht van de eerbiedwaardige Engelse cultuur te onttrekken. Schrijfsters als Miles Franklin, Christina Stead en 'de Nieuw-Zeelandse Tsjechov' Katherine Mansfield emigreerden al vroeg in hun carrière naar Europa; en het was pas na de Tweede Wereldoorlog dat de latere Nobelprijswinnaar Patrick White een omgekeerde beweging maakte. White, die in Londen uit Australische ouders was geboren en in Cambridge had gestudeerd, maakte Australië, en vooral het Australische landschap, tot zijn belangrijkste onderwerp. Niet alleen in in *The Tree of Man* (1956), dat gaat over een boerenechtpaar in de bush, of in *Voss* (1957), dat een ondekkingsreiziger in de *outback* als hoofdpersoon heeft; maar ook in *The Vivisector* (1970), zijn roman over een nonconformistische schilder in Sydney.

Met Patrick White deed het streven naar de Great Australian Novel zijn intrede in de literatuur. Velen na hem probeerden in hun werk duidelijk te maken wat het betekent om een Australiër te zijn en wat de uitwerking is van het uitgestrekte landschap op de menselijke ziel. Peter Carey won er twee Booker-prijzen mee (*Oscar and Lucinda*, 1988; *The True History of the Kelly Gang*, 2001); Keri Hulme één, al speelde haar eigenaardige familieroman *The Bone People* (1985) zich af in het belendende Nieuw-Zeeland. Daarnaast ontdekten ook buitenlandse schrijvers Australië als locatie voor existentialistische (avonturen)romans. Wie daar als Nederlander een bewijs voor wil hoeft alleen maar *Vertraging* van Tim Krabbé of *Zuiderkruis* van Pauline Slot te lezen.

★ Tim Krabbé *Vertraging* (1994); road novel over man die met criminele ex-vriendin de *outback* doortrekt

✪ Bruce Chatwin *The Songlines* (1987); een reiziger bezoekt de kampen van de Aborigines en schrijft een pleidooi voor het nomadische bestaan

▲ David Malouf *Remembering Babylon* (1993); een bij de Aborigines opgegroeide jongen verstoort het leven in een negentiende-eeuwse nederzetting

◪ Pauline Slot *Zuiderkruis* (1999); een vrouw reist naar de andere kant van de wereld om de mysterieuze zelfmoord van een vriendin te ontraadselen

☾ Thomas Keneally *The Playmaker* (1987); achttiende-eeuwse Engelse officier studeert toneelstuk in met Australische dwangarbeiders

☒ Elisabeth Jolley *Miss Peabody's Inheritance* (1983); een Britse oude vrijster correspondeert met haar favoriete Australische auteur en besluit haar op te zoeken

✖ Miles Franklin *My Brilliant Career* (1901); onafhankelijk maar aan zichzelf twijfelend meisje becommentarieert pioniersleven in de bush

✿ Kenneth Cook *Wake in Fright* (1961); een leraar strandt in een plattelands-stadje waar verveling omslaat in wreedheid

☻ Patrick White *Voss* (1957); negentiende-eeuwse nietzscheaan legt het loodje bij transcontinentale expeditie

◑ Christina Stead *For Love Alone* (1944); een jonge vrouw wil weg van haar disfunctionele familie – naar Europa waar het leven is

✿ Tim Winton *Cloudstreet* (1991); twee excentrieke gezinnen leven in de jaren vijftig met moeite samen in een oud landhuis

◉ Helen Garner *The Children's Bach* (1984); precieuze novelle over een stadse familie in het drukke moderne leven

◘ Murray Bail *Eucalyptus* (1998); modern sprookje over een eucalyptusbomenver-zamelaar, zijn huwbare dochter en haar verhalen vertellende vrijer

❖ Matthew Kneale *English Passengers* (2001); een groep emigranten reist anno 1857 onder aanvoering van een creatio-nistische dominee naar het voormalige Van Diemensland

↕ Richard Flanagan *Gould's Book of Fish* (2002); breed uitwaaierende postmoderne roman over het illegale dagboek van een gevangene in een negentiende-eeuwse strafkolonie

◆ Peter Carey *The True History of the Kelly Gang* (2001); een legendari-sche 19de-eeuw-se bandiet mengt feit en fictie in zijn levens-verhaal

♥ Janet Frame *Faces in the Water* (1961); een vrouw vertelt over haar tijd in een psychia-trische inrichting, en vooral over de dunne lijn tussen gekken en normalen

♛ Keri Hulme *The Bone People* (1984); een schilderes, een autistisch jongetje en zijn Maori-stiefvader verwikkeld in een spiri-tuele driehoeksverhouding

➤➤ De korte, in Nieuw-Zeeland ge-situeerde verhalen van Katherine Mansfield (1888-1923), bijvoorbeeld 'The Woman at the Store'

NORTHERN TERRITORY

QUEENSLAND

WESTERN AUSTRALIA

SOUTH AUSTRALIA

NEW SOUTH WALES

SYDNEY

ADELAIDE

VICTORIA

MELBOURNE

PERTH

TASMANIË

NOORDER-EILAND

NIEUW-ZEELAND

ZUIDER-EILAND

WELLINGTON

DUNIDEN

Bronnen

Literatuur

Erica Bauermeister, Jesse Larsen, and Holly Smith: *500 Great Books by Women – A Reader's Guide* (Penguin Books, 1994)

Cory Bell: *Literature – A Crash Course* (Simon & Schuster, 1999)

Frédéric Beigbeder: *Dernier inventaire avant liquidation* (Bernard Grasset, 2001)

Hans Boland: *Sint-Petersburg onderhuids – Een stadsgids* (2003).

Baudouin Bollaert: 'Maigret au pays des moulins' (*Le Figaro*, 26 juli 2001, te vinden op internet)

De bovenste plank – Een keuze toegelichte boeken op de weg naar het eindexamen (Stichting informatie-dienst inzake lectuur Tilburg, 1965)

Malcolm Bradbury (ed.): *The Atlas of Literature* (Greenwich Editions, 2001)

Malcolm Bradbury: *The Modern American Novel* (Penguin Books, 1992)

Malcolm Bradbury: *The Modern British Novel 1878-2001* (Penguin Books, 2001)

Anthony Burgess: *Ninety-Nine Novels – The Best in English since 1939* (Allison & Busby, 1984)

Maarten van Buuren, Els Jongeneel: *Moderne Franse literatuur – Van 1850 tot heden* (Martinus Nijhoff uitgevers, 1996)

Carmen Callil & Colm Tóibín: *The Modern Library – The 200 Best Novels in English since 1950* (Picador, 1999)

John Carey: *Pure Pleasure – A Guide to the 20th Century's Most Enjoyable Books* (Faber and Faber, 2000)

Jan Croes e.a. (red.): *De Ideale Bibliotheek – 100 boeken die iedereen gelezen moet hebben* (De Bijenkorf, 1990)

Margot Dijkgraaf: *Franstalige literatuur van nu – Een vreemd soort geluk* (De Geus, 2003)

Adriaan van Dis en Tilly Hermans: *Het land der letteren* (Meulenhoff, 1982)

Margaret Drabble (ed.): *The Oxford Companion to English Literature* (Oxford University Press, 1998)

Inez van Eijk en Rudi Wester: *Honderd helden uit de Nederlandse literatuur* (De Bijenkorf, 1985)

Cor Gerritsma (samenstelling): *Prachtboeken! – Vijftig Nederlandstalige romans uit de twintigste eeuw samengevat* (Het Spectrum, 2000)

S.P.A. Gipman: *100 jaar Nobelprijs voor literatuur in namen, feiten & cijfers* (Meulenhoff, 1995)

Grote Winkler Prins – Encyclopedie in 26 delen (Elsevier, 9de druk, 1990-1993)

K.J. van der Kerk en H.A. Poolland: *Literama – 112 samenvattingen van Nederlandse letterkundige werken* (Van Walraven BV, 15de druk, s.a.)

Willem Kuipers: *ISBN van de wereldliteratuur* (Ambo, 1997)

H.J. van Moll: *Survey One – Sixty Discussions of English and American Works of Literature* (Van Walraven BV, 11de druk, s.a.)

Ian Ousby (ed.): *Cambridge Guide to Fiction in English* (Cambridge University Press, 1998)

Peter Parker (ed.): *The Reader's Companion to Twentieth Century Writers* (Fourth Estate/Helicon, 1995)

Marja Pruis: *Gouden fictie – Het fenomeen everseller* (De Bijenkorf, 2001)

Nick Rennison (ed.): *Good Reading Guide* (Bloomsbury, 2001)

Karel van het Reve: *Geschiedenis van de Russische literatuur – Van Vladimir de Heilige tot Anton Tsjechov* (Van Oorschot, 1985)

Jane Rogers (ed.): *Good Fiction* (Oxford University Press, 2001)

Literair-geografische series

Internet en CD-rom

M.A. Schenkeveld-van der Dussen (hoofdredactie): *Nederlandse literatuur, een geschiedenis* (Martinus Nijhoff Uitgevers, 1993)

Michael Stapleton (ed.): *The Cambridge Guide to English Literature* (Book Club Associates, 1983)

Maarten Steenmeijer: *Moderne Spaanse en Spaans-Amerikaanse literatuur – Van 1870 tot heden* (Martinus Nijhoff uitgevers, 1996)

Pieter Steinz: *Lezen &cetera. Gids voor de wereldliteratuur* (Prometheus/NRC Handelsblad, 2003)

H.D. Tiesema: *Der rote Faden – sechzig Zusammenfassungen vielgeliesener Werke aus der Deutschen Literatur* (Van Walraven BV, 17de druk, s.a.)

Willem G. Weststeijn: *Russische literatuur* (Meulenhoff, 2004)

Christiane Zschirnt: *Bücher – Alles, was man lesen muss* (Eichborn, 2002)

De reisgidsenserie *The Rough Guide to ...* geeft aan het eind van elk deel onder het kopje 'Contexts / Books' een beknopte maar handige opsomming van fictie die zich afspeelt in het besproken land of de behandelde streek of stad.

In de Stedenreeks van het voormalige tijdschrift *Het Oog in het Zeil* zijn verhalen, gedichten en romanfragmenten gebundeld over achtereenvolgens: Odessa, Triëst, Lissabon, Wenen, Sint-Petersburg, Oxbridge (Oxford en Cambridge), Gent, Istanbul, Napels, Madrid en Nice.

In de door Bloomsbury uitgegeven serie *The Writer and the City* verschenen compacte boekjes van Edmund White over Parijs, Peter Carey over Sydney, David Leavitt over Florence, John Banville over Praag en Ruy Castro over Rio.

Na recente bundels met verhalen van verschillende schrijvers over onder meer Frankrijk en Italië, verschenen bij A.W. Bruna Uitgevers BV twaalf paperbackdelen in een serie *Als een god in de provincie*.

In de serie A *Literary Companion to...* van Penguin Books zijn totnogtoe deeltjes verschenen over Rome, Parijs, Venetië en Florence.

De Finse website Author's Calender (www.kirjasto.sci.fi) geeft uitstekende biografieën (en bibliografieën) van een paar honderd grote namen uit de wereldliteratuur.

Op boekgrrls.nl zijn wereldkaarten te vinden waarop je boeken op locatie kunt aanklikken.

In de Digitale Bibliotheek voor de Nederlandse Letteren (www.dbnl.nl) vind je niet alleen auteursinformatie en integraal op het net gezette literaire werken, maar ook landkaarten waarop per provincie kan worden gezocht naar de geboorte- en sterfplaatsen van Nederlandse auteurs, alsmede naar literaire werken die met die plaatsen verbonden zijn.

De besloten website EDDA (voorheen de Nederlandse Pers Databank) biedt onder meer boekrecensies uit vier landelijke kranten (waaronder *de Volkskrant* en *NRC Handelsblad*) vanaf 1990.

LiteRom – Artikelen over literatuur vanaf 1900 (NBLC uitgeverij, 1998).

Register

Naam en titelregister

Register

Geografisch register

Pieter Steinz

lezen

GIDS VOOR DE WERELDLITERATUUR

etcetera

416 schrijvers ▾ 104 meesterwerken ▾ 52 schema's
52 thema's ▾ 26 quizzen

PROMETHEUS
NRC HANDELSBLAD

ISBN 90 446 0324 0 • prijs € 24,95

Wat te lezen na *De naam van de roos*, *The Secret History*, of een ander favoriet boek? Hoe liep het af met de Graaf van Monte-Cristo, en waarom is *Het Bureau* zo bijzonder? Door welke romans werd Jane Austen beïnvloed, en wie hebben zich op hun beurt laten inspireren door *Pride and Prejudice*?

Lezen &cetera, de eerste Nederlandse leesgids, geeft antwoord op deze en vele andere vragen, en vormt een baken voor biblionauten in de eindeloze zee van romans en verhalen.

Lezen &cetera is een luchtige en leerzame introductie tot het wereldwijde web van de fictie; een handboek voor de individuele lezer, maar ook een naslagwerk voor leesgroepen, boekhandelaars, scholieren, studenten en docenten.

Met
- 416 karakteriseringen van auteurs uit 26 taalgebieden, van Kader Abdolah tot Stefan Zweig; met aandacht voor hun beste werk, en met tips voor boeken in een vergelijkbare stijl of over hetzelfde onderwerp

- 104 enthousiasmerende samenvattingen van klassieken uit de wereldliteratuur, van de *Decamerone* tot *Publieke werken* en van *De aanslag* tot *Der Zauberberg*

- 52 literaire schema's rondom beroemde boeken, met een overzicht van invloeden en suggesties voor verder lezen

- 52 lijstjes met 13 boeken over één onderwerp, van 'avonturenromans' tot 'zwendelaars'

- 26 quizzen rondom literaire thema's, van 'artsen en doctors' tot 'zinnen tot slot'

De pers over *Lezen &cetera*:
'Honderden magnifieke pagina's. Een dikke 9 voor Steinz' monnikenwerk.'
HET PAROOL

'Een geslaagde poging om het web van de wereldliteratuur te ontsluiten en de dwarsverbanden zichtbaar te maken.'
DE VOLKSKRANT

'Verrassend en informatief (...) het beste boek in het genre.' NRC HANDELSBLAD

'Houdt het midden tussen een naslagwerk en een literair gezelschapsspel (...) een buitengewoon leuk boek.' GPD

'Een beschavingservaring.' ELSEVIER

'Onschatbaar is het juist om het doelloos, herfstig bladergenot dat van geen nut of oogmerk wil weten.'
DE GROENE AMSTERDAMMER

Verantwoording auteursfoto's